なんでもないもの

白洲正子エッセイ集〈骨董〉

白洲正子
青柳恵介＝編

角川文庫
19146

なんでもないもの　目次

図版作成／リプレイ

焼物の話

焼物が好きで集めていますが、始めたのは戦後のことです。其頃財産税などの関係から、門外不出の名品が市場へ流れ出ました。一流のものが見られるのをさいわい、その道の玄人といわれる蒐集家にくっついて、毎日、方々歩き廻りました。私などの手におえない品ばかりであるのもお誂えむきでした。骨董屋は、自分達が何十年かかって見たものが、手軽に見つくせることの幸運を言い、私もそのつもりで大いに勉強する気になっていました。

骨董は、買ってみないことには解らないといいます。そんな事があるものかと内心おもい、美術商で見たり蒐集家を訪ねたり博物館へ通うことに忙しく、友達はまた始まった、と笑いましたが、お蔭で名前も覚えましたし、少しは見分けもつく様になりました。そのままで進めば今にいっぱし通になれたでしょうに、ある日あるものがいきなり別の世界へと私をひきさらって行ったのです。

それは、ねずみ志野の香炉でした。それまで支那陶器ばかり見ていたのが何故日本の焼物に心ひかれたのか解りません。そういう事が既に変でした。値段も高く、ふだんならあっさりあきらめるところを、人に見られるのさえいやで、誰にも相談せず、その場から抱いて帰りました。家へ帰っても五分としまっておけない。出してもおけない。そわそわして、色んな事が気にかかります。そのうちお金の方は曲りなりにも払うことが出来、「いいもの買ったね」と小林秀雄さんに言われるまで、品物の方にはまるきり自信が持てないのでした。成程買ってみないことには解らない。この世界では買うという事が唯一の行為であることをその時はじめて知ったのでした。

いい気持になっていると、小林さんの焼物の先生だった青山二郎さんにこんな事を言われました。

「あれは誰が持っていても一流のものだ。何もわざわざ買うことはない。自分が持っているから値打がある、というものばかり目ざしたらどうだ」。この言葉は、青天のへきれきといった工合に私の上に落っこちました。解りきった事はしないでよろしい。そう言われてみれば何もかも、出来合いのものばかりです。安あがりで済まそうとする根性はよくないにきまっていますが、高い価を払っても、それでやにさがるわけには行かないのでした。

今、行きつけの骨董屋に、唐津の茶碗があります。大男があぐらをかいた様な恰好で、今までに何度か売られ、買い戻されて、その度に見せて貰いました。はじめはてんで見向きもしませんでしたが、二度目にはちょっといいなと思いました。三度目にほしくなりましたが、値段は安いのに中々買いきれません。それでお茶を飲むことを考えると、とても使いこなせそうにないし、いくらほしくても無理をしたのでは嘘になる。無理をしてみて、(こっちが瀬戸物に)追つくこともあるのですが、それなら買って暖めていればいいようなものの、中々決心がつかない。そんな事がしじゅう頭を離れないのも、馬鹿馬鹿しい話ですが、当人にとっては大問題なのです。茶碗一つではありますが、自分がハカリにかけるのであってみれば、真剣になるのも不思議ではありません。だから私の様な駆けだしがにせ物でもつかもうなら、その口惜しさは格別で、人にも物にも忽ち自信を失ってしまいます。にせ物でなくても昔買ったがらくたの中には、恥しいものが沢山あります。ものが現実にあるのですから、過去の数々の失敗の様に、うまく忘れるというわけに行きません。

この茶碗は、今に買えるかも知れないし、買えないかも知れない。買えなければ、私が未熟なのだから仕方がない。そう思って待っているのですが、またそれとは反対にすぐ買えるもので、ぐずぐずしているうちに卒業してしまうこともある。そんなものは始めから必要でなかったのだから未練がありませんが、出来心とか雰囲気とか胃の工合などが、どうしても鑑賞にからまるので事は面倒になります。そういうものが邪魔をする人は、よほど偉い人かさもなければよほどくだらない人間でしょう。困ってもいないのに、こんないいものを手ばなす様ではあの人も駄目になる、と言われるとほんとにそうなる事もあります。つまらないものを中にはさんで、単なる競争意識から、もしくは気の合った同士が勝手な夢を描いて、取合う渦中に巻きこまれる場合もある。ある金持は、他人の持物に熱中したあまり、数人の骨董屋にせらせ、実際には一人角力をとったあげく、法外な値段でおとして悦に入っている。中には人手に渡ってもあきらめきれず、虎視たんたんとねらっているものもある。四、五人列に並んで、勿論私などビリの方で、御用済みになるのを待っているのですが、一生待っても手に入るとは限らないものを、忘れきれずにいるのは何という因果かと思います。それ程人を迷わすのは、必ず日本の焼物か伝世の陶器に限るのも、私たちの血の中に特種な美しさを愛する伝統が流れているからでありましょう。それはもう美ではないかも知れないし、鑑賞のうちに入らないかも知れません。「鑑賞」というのには幾通りものやり方があり、無邪気なものから罪深いものまで、数えあげたらきりがありません。

私の知人に有名な蒐集家がありますが、そこの陳列室のガラスの中には、世界的名器が所せきまで並んでいます。世界中どこでも通用する鑑賞の方法ですが、面白いのは、御主人にとって見飽きる程見た陶器より、今となっては「おはなし」の方が重要になって来たことです。ある唐三彩は世界に二つよりない。一つは英国人の所蔵で世界一と自慢していたのが持主が日本に立寄った時ここで見てびっくりしたとか、この六朝の馬は、ロンドンにいた時、支那から着いたばかりのを美術商で発見し、荷もほどかずそのまま日本に送り返したものであるとか。一つ一つにそうした思い出、将来は伝説ともなるべき物語がついて廻るのです。私は何度も聞くうちに覚えてしまいました。それは邪道かも知れませんが、美術品に対して、人は何かいうとすればそんな事しか言えないのです。美しい、といったとて何を現すでしょうか。お話もない場合、何かぶつぶつ口の中でつぶやく他はない。古い茶器に様々の伝説がつきまとっているのも、そういう次第だからで、箱や箱書も、一種の「言葉」には違いありません。それがある為に、さほどでない中身が高くなっても文句は言えない。まして利休みたいな達人が、そばに置いたというだけでほしくなるのも無理はありません。時にはつまらないものを友達から高く買ったり、いいものを只で貰ったり「友情」に価を払っているだけのこと、お互いに損する事など一つもありはしないのです。

ある美術商の主人が、特別の好意から、大名物の金地院という井戸の茶碗を見せてくれました。茶人でない私は、それがどれ程有難いものか知りませんし、うっかり持主も伝説も聞き忘れました。取扱うとすれば時価五百万円という話ですが、それは「値がない」とほぼ同じことなので意味がありません。そういうとんでもない名品が、行った時にはテーブルの上に裸かで置いてありました。隣りにもう一つ、主人所有のよく似た井戸が並んでいます。それは、後学の為にわざわざ出してくれたものです。そんな事とは知らないので、私は先ずその茶碗の方を手にとりました。赤みがかった色で、たっぷりした姿が実に美しい。ほしい、と思いました。今でも思っています。が、肝腎の名物の方はそれ程でなく、青味の勝った品のいい茶碗ですが、ひと口に言えば取りすました貴人の様な顔つきで、非のうち所もないものでした。

日本の茶器というもの程おかしなものはありません。一つは名のある名器、一つは名のない名品ですが、両方とも元はといえば朝鮮の片田舎で生れた飯茶碗にすぎません。ただ発見した人間が違うというだけで、兄弟の様によく似たものが、世間的にはまったく別の取扱いを受けるのです。そこには公定価格といえるものは見当りません。朝鮮へ返したら、おとなしく農家の台所の片隅でうずもれるでしょうし、展覧会に出せば、渇仰の涙にむせんで拝む人もいましょう。五百万円で買う人もいれば、五十銭で買わない人もある。何といおうと勝手だし、つまらないと思えばそれまでです。世の中にこれほど自由な存在がありましょうか。私はそこに利休の魂を見ます。彼は秀吉の権威の前に服しましたが、それとても、ただ、なるようになっただけのことです。秀吉は、焦燥の中に終ったが、利休は幸福をもたらしました。やすらかな彼の姿を、茶碗の中に見ることは、私たち茶道に縁の遠いものでも必ずしも不可能ではないのです。

焼物はすべて「発見」です。その人一代かぎりのもので、あとはお話にすぎません。それを信じようと信じまいと勝手ですが、発見から創りだされたものは、それだけの努力をもって見ないかぎり理解に至る道はありません。努力をさせるものは「愛情」につきるでしょうが、愛情をもって、ものを見るのではなく、見ることが愛することなのです。それは画家や詩人が自然を見る眼に等しい行為でしょうが、有名無名の芸術家達によって、焼物は発見されては死に、また発見されては生返って今に至りました。「自分が持っているから値打がある」そういうものばかり買えとは、とんでもないことを言われたものだと思います。今気がついてあわてているところです。私がダメなら、私の持っているあらゆる物はダメでしょう。それがたとえ大名物であろうとも。百姓の手の中にあっても、博物館に陳列されても、たしかに、「美しいもの」はある。が、それを証明する何物もない。ということになると、私は自分の好きなものに対して大きな負担を感じます。

（初出不詳。一九五三年）

暮しの中の美

はじめに

美術に関して、私はまったくの素人です。好きで多少は集めていますが、眼ききとは思っていませんし、自分のかせぐ範囲で買うのですから、大したものは持ちません。が、先日、珍品堂主人の秦さんが『名品訪問』という本を出したとき、女の人で美術品が好きな人が少い為か、選ばれて、文字どおり末席を汚したわけですが、その時写真をとりに来た編集者に「大したもの」を持たないところが気に入られたらしく、どうでも書けという注文です。別に内緒にしておく程のことでもなし、引きうけることにしましたが、美術は好きでも、どういう風に買っていいか、きっかけがつかめない、――そういう方達は案外世間に多いようで、私のささやかな経験と物の見かたが、少しでもお役に立てたらと、そう思って筆をとりました。

私が美術品、特に陶器に興味をもったのは戦後のことです。ちょうど財産税などで門外不出の名品が、ぞくぞく市場に現れた頃で、壺中居《こちゅうきょ》の主人の広田さんなどは、「四十年、骨董を手がけていて、こんなにたくさんの名品は見たことがない。あなたは仕合せですよ」といいましたが、有名な蒐集家の細川護立《もりたつ》氏や、麻生太賀吉氏なども知っていたので、しじゅうその方達と一緒に歩いては、知識を吸収することに熱心でした。

それらは主に中国の陶器でした。細川さんが、たとえば明の万暦《ばんれき》を買ったというと、麻生さんもほしくなる。また他のAさんBさんもほしくなる。ほしいと言えばすぐ手に入る時代で、目のくらみそうな値段のものが、次から次と買われていくのを見て、私はあっけにとられるばかりでしたが、自分では到底手が出ませんでした。それでも今と違って、特別なものはさておき、一級品が千円か二千円で買えたのですから、これはやっぱりほんとうに好きではなかった証拠でしょう。

むしろ、まわりにそういう知人が沢山いた為に、ただで覚えられるとは有難いくらいに思っていた。今にしていえることは、こうした狡い考え方が美術にとっては禁物なのです。美術品ばかりでない、人間同士の付合いにしても、一般世間の仕事にしても、何の犠牲もはらわずに覚えられることが一つとしてありましょうか。昨日も、ある若い骨董屋さんが遊びに来て、こんな話をしていきました。

――先日、百万円もする大きな鉢を買った。ある人にそれを売ったところ、別の骨董屋さんに見せて「悪い」（にせ物の意）といわれ、すぐ返して来た。自分にとって、百万円は大金であり、買った先も商売人なので返せないこともなかったが、返したのでは信用にかかわる。見るのも癪にさわり、いっそのことぶち割ろうとしたが、待てよ、これこそ物の見えぬ自分に教えてくれた有難い品物であると思い、今は神棚にかざってある。そうして毎日拝んでいるのだと話してくれましたが、素人にとってもそうした心構えは大切であると同時に、にせ物の一つや二つつかむことを恐れていたら何も覚えることは出来ますまい。「骨董は買ってみなくてはわからぬ」とはそういうことをいうのだと思います。

さて、話を元に戻して、これという先生もなかった私は、いわば展覧会で見物するみたいに、人の買うのを傍らで眺めていた。眺めているだけでも結構知識はふえるものです。唐と宋の区別もつきましたし、明の絢爛、清朝の精巧な技術も知り、値段も見当がつくようになりました。

そこら辺にとどまって、陶器の研究にでも専心していたら、今頃はいっぱし通になっていたことでしょうが、ある日壺中居で、志野の香炉を見たことが、私をまったく別な道に向かわせてしまったのです。骨董という魔物にとりつかれたとでもいいましょうか。それまで何を見ても、ただ美しい、みごとなものだ、と感心していたのが、どうあってもこれだけは自分の物にしたいと決心した。私にとっては、初めての経験です。忘れもしない、値段は六万円で、当時としては高価なものでしたが、そんなことも上の空でした。大事に抱いて、家へ帰ってひらいてみると、いかにも美しい。夕焼けのように真赤に焼けた中に白い薄《すすき》の穂が浮んで、裏側には水草がゆらゆらと流れている。うれしいと同時に、何か、空おそろしいような気持がして、寝てもさめても肌身はなさず持ち歩きましたが、仕服《しふく》を見ると、「天下一品」とか、「これを持つものに災いあれ」とか、いろいろなことがいっぱい書いてあって、前の持主の執心の程が思いやられます。後で聞いた話によると、それは何代か前に、青山二郎さんが持っていたもので、その字も青山さんの書いたものだと知りました。

が、支払の方は笑談事ではなく、何とか月賦で済ましましたが、この香炉は、その後出世して、ときどき図録などでお目にかかることがあります。持っていれば一財産できたことでしょうが、今はまったく執着はありません。そこのところが、骨董好きの面白い点なので、問題はお金ではなく、いかに惚れるかという一事にある。さほど好きでもないのに、もうけようとして買ったものはよくない場合が多い、と商売人もいいますが、素人にとってはなおさらのことでしょう。

それも飽きた為に手放したのではなく、十年近くも持っていて、止むを得ず売ったのでしたが、その当座は掌中の玉を失ったように、夜も寝られず思い出されてなりませんでした。たしかに骨董は買ってみなくてはわからないが、売るとよけい身に沁みるように思います。が、その後それ以上の志野が手に入り、ようやく溜飲を下げたというわけです。もっとも「それ以上」というのは、「私にとっては」の意で、世間的な価値からいえば香炉の方が上なのです。そこもまた美術品の面白いところなので、誰にでもわかるものはわざわざ持つ必要はない、自分だけに納得のいくものがほしくなる、次第にそういう方向へすすむのが、日本の鑑賞の特殊な点ではないかと思います。

この志野の香炉が、私の眼を開けてくれたとはいいませんが、少くとも、買うきっかけは作ってくれました。

それを機会に、先の青山さんとか小林秀雄さん、珍品堂ほか多くの道具屋さんとの付合いもふえました。一つ買ってみれば、買うことがそれ程おそろしくなくなり、いやおそろしいだけにスリルがあって、自分を試すという面白さも加わります。

それにつけて思い出すのは、はじめの頃、ある日小林さんのお家へ招ばれた時のことです。いい御機嫌になった先生は、手近の引出しの中から、いくつも盃を出して見せて下さいました。小林さんは、自分の好きな道具を、いつも座右に置かれているのです。唐津や朝鮮の刷毛目《はけめ》のたぐいで私にはまだそんな渋いものはわかりませんでしたが、小さいながらしっかりした形は、それぞれ美しく、いかにも小林さんらしい好みを表していました。

そこまではよかったのですが、いきなり「値をつけてごらん」といわれた。「そんなことわからないわ」。そう答えると、いきなり頭からどやされました。

「値段がつけられないで、骨董買う奴があるか!」

その時私はハッと思い当りました。美術鑑賞というと、趣味のいいお道楽のように聞えますが、そんな夢みたいに美しいものではない。極端なことをいえば、美とは何の関係もない、物を相手の真剣勝負であり、あるがままの形とは、言葉で形容できるものではなく、冷厳な数字によって辛うじて表現されるものなのです。千の説明の言葉より、いくらという値段の方が正確だ。だからにせ物には、ほん物としては安いが、今出来《いまでき》としては高いといったような、いかにもにせ物らしい値段がついており、掘出し物をしようとするとそうしたものにひっかかるのです。それはお金がありあまる程あって、天下一品のものを、いちいち学者に相談して買うのなら間違いはないでしょうが、それには懐の都合もあり、人にたよってばかりいたのでは、永久に何も覚えることはできますまい。時にはにせ物をつかんだり、借金に追いかけられたりして、辛いおもいをするところに、いうにいわれぬたのしみはあるというものです。

何よりも先ず、自分が好きなものを、思いきって買ってみることです。展覧会や本などで、いくら勉強したところで、それとこれとは別の世界のでき事です。むろん知識は、タシにはなりますけれども、遠くから見物していただけでは、美術品も口をきいてはくれないでしょう。日本の鑑賞のもう一つの特徴は、人間と同じように、しじゅう傍において付合ってみることです。そうすれば、自分の好みがはっきりするだけでなく、いいと思って買ったものでも、二、三日そばで眺めていると、どうもおかしいと思ってくることもある。そういうものは必ず悪いのであって、別に眼ききでなくてもにせ物特有のにおいというものは次第にわかって来るようになりましょう。

はじめの頃は私も、きれいな唐の人形や、宋の赤絵などに心をひかれましたが、ただ鑑賞するだけではだんだん満足ゆかなくなって、じかに唇にふれる盃とか茶碗、日常使える徳利や皿のたぐいが好きになり、そんな物ばかり集ってしまいましたが、眼に映ずる形のほかに、触感も加わって、そのたのしみは増すばかりです。

やはりそういう鑑賞は、茶道から来たもので、私はお茶とは無関係な上、茶器の類に興味はないのですが、知らず知らずの中にそのような道を辿ったのは、祖先が培《つちか》った伝統というものは根づよいものだと思います。それは非常に個人的な物の見かたで、一人よがりのように思われるかも知れませんが、何も世間に自慢したり、展覧会へ出品する為に求めるわけではなく、朝な夕なの楽しみに買うのですから、いわゆる蒐集家とはおのずから立場が異ります。が、愛情というものは複雑で、他人に理解されなくても構わないというものの、自分が愛しているものが認められればうれしいし、けなされればがっかりしてしまう。美というものは、そういう実にはかない存在です。信ずるものは己れしかない。悪いといわれ、家へ帰ってから、そっと箱から取出し、ひと晩中なぐさめ合ったこともある。自分の不明をわびたこともある。そういう時は心ない焼きものも、涙でしめっているように見えてなりません。

だから家には使えるものしかありません。名品がないのは、資金不足のせいもありますが、非常に高価な品は、使うのに肩が凝るからでもあります。同じように、げて物にも面白いものはありますが、それだけに集中するのも、いや味なものです。私が好きなのは、安心して一緒に暮せるもの、箱書にも伝承にもこだわらず、裸のままで何事か語りかけてくるもの、そういうぶな美しさです。またたとえば発掘のような陶器で、使えば将来味が出てくるもの、これには人を育てるのと同じ喜びが見出せます。もっとも、人間と同様、いくら使ってもよくならないものも中にはある。それだけに美しくなったものには、よけい愛着も感じるというわけで、鑑賞の中にはそのような、賭けに似たたのしみもふくまれているようです。

利休は、何でもない日常の雑器の中から、美しいものを選び出した大先輩ですが、私達のささやかなたのしみの中にも、それと同じ発見の喜びがあって悪いはずはありません。世界的な一級品は、どこへ出しても誰が見てもいいにきまっているが、それだけに自分で持たなくても、写真で見れば充分だと、負け惜しみじゃなく思っています。私はまた、古いものと新しいものの区別もつけません。時代というのは争えないもので、長い間使われたものには新作にはない味があるのは当然ですが、今出来のものの中から、特にやすいものの中から、美しい品を見つけるほどたのしいことはありません。

反対に、古くからあって、誰も見向きもしなかったもの、たとえば大和や出雲から発掘される古墳の曲玉《まがたま》やガラス玉の類を、工夫してアクセサリーに用いるのは興味があります。その他にも、エジプトのスカラベ（甲虫を彫ったお守り様のもの。陶器、石、水晶などで作られている）や、ギリシャのお金、ペルシャの金細工、ガラス、トンボ玉と、この種のものはいくらでもあるばかりか、五百円ぐらいから二、三万どまりで、いろいろ面白い細工ができます。日本の古い櫛や、かんざしも、そのまま使えましょう。いいかげんな宝石より、その方が安上りで、何といっても深い味わいがあって奥床しいものです。何より自分で工夫できるというのが、たのしいではありませんか。心がけ次第で、そういうものはいくらでも探すことができますし、それこそほんとうの意味の掘出し物といえましょう。

鑑賞とは、たびたび言いましたように、手をつかねて物を眺めたり、人の説明を聞くことではなく、自分でそれを作った人の行為に参加することをいうのです。青山二郎さんはいつも、早合点する私に、「わかるのはやさしいが、発見するのはむつかしいよ」といわれましたが、展覧会やお寺の庭を見物するのが悪いというのではありません。が、「百聞は一見に如《し》かず」をもう一歩すすめて、「百聞は一つの行為に如かず」というのが、美術に近づく一番の近道でしょう。どんなにまずしくても、失敗を重ねても、自分の力でやったことだけが実になるのは、美術の世界のみに限ることではありません。

信楽大壺

この信楽《しがらき》は、最近、京都の道具屋さんで見つけたものです。二尺にあまるみごとな大壺で、真赤に焼けた所へ、突如として白い窯変があらわれ、よけいこの壺をどっしりした形に見せています。時代は、藤原までさかのぼるでしょう。自然にひらいた口が美しく、息を一杯吸ったようにはり切った胴も、充実感にあふれています。

大体、信楽というのは、「うずくまる」と名づける形（小壺）が有名で、お茶人が喜ぶので高価ですが、大きなものは比較的安いのがふつうです。ところが聞いてみると、法外な値段でした。一度はあきらめて、帰京しましたが、寝ても醒めても忘れられない。また京都へ舞いもどり月賦でもよければ貰いたいといいますと、ちょっと待ってくれ、実はこの壺はお客さんからあずかった品で、言い値で買って下さるのは有難いが、それでは壺の相場を乱してしまう。お願いだから、二、三ヵ月ひまを与えて下さい。必ず交渉してまけて貰います、そのかわり、誰にも決して売りませんからと、そういう話でした。

相場を乱す、というのは、一度そうした物が高く売れると、次に買う時は値段がつり上ってしまう。素人は構わないが、商売人がそれでは困るからで、道具屋さんにこんなことをいわれたのは初めてでしたが、私は大変面白い言い分だと思いました。

信楽大壺(撮影：藤森 武)

で、数ヵ月待った後、少し安く手に入ったのですが、それでも信楽としては法外な値段に変りはなく、小林秀雄さんに見せたら、「だから素人はおそろしいよ」といわれました。素人のおそろしさとは、逆に考えれば、素人の強味です。どんなに高くても、物は売った方より、買った人の得なのですから、私はそれでいこうとその時以来決心しました。

が、置き所には困りました。床の間にデンと据えたはいいが、これにつり合う掛物がない。どんな物をもってきても、壺に押されてしまうのです。仕方がないので、飛騨あたりのうぶな籠があったのに、ぼけの花をあばれて活け、今のところではそれが一番似合ってみえますが、そのうち坊さんの字か何か適当なものを見つけたいと思っています。生活の美術がたのしいのは、一つ買うとそれにふさわしい友が見つけたくなることで、お茶だといろいろむつかしい約束があるようですが、私みたいな無粋なものは、そういうことが自由にできる点で、茶人よりはるかにたのしんでいるのかもしれません。

古伊万里　赤絵壺

次の古伊万里の壺は、赤絵としては初期（十七世紀頃）のものでしょう。やわらかい白い肌と自由に描いた線が美しいと思います。こんな単純な文様でも、時代が少し下ると硬くなり、面白味がなくなってしまいます。

よく花を活ける方は、花を活けることのみ熱心で、器のことはわりに無関心ですが、私の場合は、いい花生けがあると、自然に花が入れてみたくなる。何流と名のれる程の腕前ではなし、しいて言えば、壺流とでも申しましょうか、きょうは藪の中に白椿が咲いているのを見つけ、さしてみました。

アクセサリー

先に書いたエジプトやペルシャのガラス、ギリシャの銀貨、日本の古墳などから出た玉の類です。こういうものは、カラー写真でないと意味がありませんが、エジプト・ガラスの首飾りは、うすい緑と白、黒などが基調で、それが銀化して五彩にかがやいています。これは昔、日本で買って、首飾りに作らせたものですが、ペルシャにも同じようなものがあって、いずれも紀元前から三、四世紀頃へかけてのガラスです。

ギリシャの銀貨は、にせ物が多く、買う時気をつけねばなりませんが、ほん物は、彫りがしっかりしているのでわかります。ミネルバやアポロの像、アレキサンダー大王の顔などがあり、裏には、たとえばミネルバには、その使わしめの梟《ふくろう》といった工合に、ペガサスとか神鳥の類が彫ってあります。男性でも、この種のペンダントをする人がありますが、同じことなら三千年も古いものの方が引立ちましょう。腕輪につくる場合でも、なるべくなら手で打ったように、がっちりした細工の方が似合います。一つは、古い煙草入れのくさりを利用し、一つは新しく作らせたものですが、日本の細工はとかくきれい事で、よほど注意しないと技巧に堕してしまう。こういう大まかな細工を職人にのみこませるまでに、私は十年近くもかかりました。

大和や出雲の地方からは、美しいガラスが沢山出ます。今でも所々に、「玉造《たまつくり》」という地名が残っていますが、古代には十三ヵ所もあって、曲玉やくだ玉、柑子玉《こうじ》（みかんの形に輪花のように彫ってある）、とんぼ玉の類を作っていたと聞きます。天平以後、首飾りをかける風習はなくなってしまいましたが、当時はよほど流行したものでしょう。日本のガラスには、ペルシャやローマと違う、深い味わいがあって、特に青と緑の色はみごとです。玉のほかにも、鏃《やじり》や陶器の破片でも、美しいアクセサリーができましょう。蒐集といえば、私が集めているのはこのガラス玉くらいで、値段も百円ぐらいから何万というものまで、その時々、所々によって違います。たとえば、この鏃など、わずか二百円で最近買ったものですが、たのしめる点では何十万という美術品と同じです。いじっていると、「しこの御楯にいでたつ」夫の為に、心をこめてみがいた妻の様子が目に浮び、よくぞ命を完うしてくれたと話しかけたくなってきます。

炉ばた

いろりは、農民にそうであるように、私にとってもいこいの場所です。家は茅葺きの農家で、土間に椅子やテーブルをおいていますが、いろりの部屋は畳をしいています。だんだん日本間が好きになっていくのも、年のせいばかりではなく、自由にちらかせるので便利だからでしょう。ごらんのとおり、ごたごた並べてありますが、その中にあるとき、私は一番落着いた気分になるようです。

鉄製書見台

この鉄製の書見台も、京都で見つけたもので、蝶の形に、触角をかたどった足がついています。ちょっと見は外国製かと思われる程ハイカラですが、この姿と、鉄味は、やはり日本のものでしょう。南蛮渡来の趣味がはやった桃山頃の作でもありましょうか、足の部分など、その頃めずらしく思われたスペインあたりの家具を模したものかも知れません。これは形が美しいだけでなく、実際に使ってみても、本を手に持つ労力も省けますし、角度も充分考えてあるらしく、大変読みやすいので愛用しています。

キリシタンに帰依したその頃の若い侍が、新しい知識を得る為に、眼をかがやかしてこの前にすわった姿も想像され、長い年月どこをどう生きぬいて来たものか、回りめぐって私の手に入ったことさえ不思議に思われてなりません。骨董のもう一つのたのしみは、静かな夜、そうした無言のささやきに耳を澄ます時でしょう。

鲁山人の作品

ここにあるお皿や茶碗は、みな北大路魯山人の作で、私が毎日使っているものです。

鉄製書見台(撮影:藤森 武)

魯山人は気ばって作った大物より、日常使える雑器の方が上手でしたが、それは何でもできる技術をもつ人が、気やすい気持で作った為かも知れません。使えば使うほどよくなるのも、彼が名人だった証拠といえましょう。

土瓶と茶碗がのせてあるのは、木をくりぬいた盆で、いろいろなものに使えるので便利です。このような木工品は、古いものの方がはるかに美しく、丈夫でもあり、値段も今出来のものの五分の一ぐらいで買えますし、私が骨董を好むのも、半分は経済的な理由によるのです。

先年、スペインへ行ったとき、スペインは木工が有名なのですが、日本のものには及ばないと思いました。材質に対する日本人の感覚は微妙で、仏像彫刻からずっとつづいた伝統ですが、それというのも美しい自然に恵まれた環境のお蔭でしょう。近頃、そうしたものを失いつつあるのは嘆かわしいことですが、身近に使っていると、何も考えなくても、使っているというその暮しの中から、物を見る眼はおのずから生れてくるもののようです。やがて、みにくいものや、ごまかしものは見るのもいやになる。日本中がそうなったら、どんなに私達の生活はたのしく、人の心もなごやかになることでしょう。

ガラス酒瓶

花瓶は二つともペルシャのガラス、酒瓶は日本の薩摩ガラスです。

ペルシャというと、すぐ正倉院の玉碗を思いうかべますが、あんな上等なものでなくても、いくらでも面白いものがみつかります。これは十一世紀か、十二世紀ぐらいのもので、吹いて作った自然のふくらみが美しく、花がさしてある方は、銅器の形を模してあります。両方とも、サイダー瓶のような原始的な製法で、非常にうすく、あぶくがまじっていますが、所々銀化して、五色に光っているのがきれいです。

私はガラスが好きなので、いくつか持っていますが、こればかりは古い手法の、吹きガラスにまさるものはありません。小さい酒瓶もその一つで、冷酒を入れるのに使っています。日本では天平を境にガラスの技術はおとろえましたが、再び徳川時代に復活して、碗や瓶ばかりでなく、かんざしや櫛の類まで作るようになりました。が、今では大量生産の型物に押されて、そのうち技術がなくなってしまうのではないかと恐れています。このたどたどしいうぶな美しさが、鑑賞されるようになり、需要がふえれば、また盛返す時も来るでしょう。手作りのガラスというといやにごつごつした極彩色の花瓶や、繊細すぎる玩具のような細工物しかないのは、かつてみごとな技術を誇っていた国として、恥かしいことだと思います。クリスタルの類は、質としては上等でも、原始的なガラスがもつ味と魅力にはかないません。

（『優雅のすすめ』徳間書店、一九六二年に発表）

スペインの夢

中村光夫さんが、〈旅の話〉という随筆の中で、スペインだけはもう一度行ってみたい国だと書いていられたが、これは私も同感である。

スペインは情熱の国といわれる。が、同時に、大変呑気な所でもある。マニャーナ（明日）という言葉は有名だが、何でもかでもア・マニャーナで、明日に延ばしてしまう。せわしない日本から訪れたものには、そういうところが格別な魅力なのである。

マドリッドに滞在中、私は毎日サンタ・アンナとよばれる広場の近くで食事をした。ここはちょっと風変わりな場所で、立ち喰い屋が並んでいるが、その一つ一つが、魚専門、肉専門、あるいは野菜、貝類という風に分かれており、中にはきのこだけ食べさせる家があったりする。食べに行く人たちは、先ず魚に始まり、それから順々にハシゴをするわけだが、私は大方魚と野菜ぐらいで間に合っていた。

店といっても、洞窟を改造したような石造りの家で、屋台に毛が生えたものと思えばいい。椅子もいくつかおいてはあるが、大抵スタンドの前の立ち喰いで、骨など辺り構わず吐きちらす。はじめて行ったときに、私が骨の始末に困っていると、ボーイが床を指さし、唾を吐いてみせた。郷に入っては郷にしたがえ、という意味であろう。

料理はおいしかった。もっとも料理というのは大げさで、鰯や蝦のピンピンしたのを、眼の前で焼いてくれるのが、洋食に飽きた私にはうれしかった。お酒もおいしい。うっかり名前は聞き忘れたが、地酒のようなぶどう酒で、まだ完全に醱酵しきれず、泡だっているのを、番茶茶碗みたいな焼きものに注いでくれる。料理もお酒も、泥くさいが、スペインのよさはそういうところにあると思った。

骨董屋も沢山あった。パリの蚤の市をもっと立派にしたような、石畳の一廓があり、その広場が全部骨董屋で埋まっている。ろくなものはなかったが、そこで私は非常に美しい、中世期の板絵を発見した。どこかの寺院にあったものらしい、タテ一尺、ハバ十尺ぐらいの長い板に、キリストを真ん中に、天使の顔が描いてあり、鮮やかな朱の色と、柔らかな線が、鎌倉時代の絵を想わせる。すんでのことに買いかけたが、これは向こうの博物館が国外への持ち出しを禁じたもので、お流れになった。後で聞いた話によると、梅原龍三郎氏も眼をつけて、交渉されたが、やはり駄目だったという。今でもこれだけは心残りだが、スペインには私達の心をひくものが多いのである。

それで一つだけ失敗した。失敗という程でもないが、骨董屋は蚤の市だけではなく、立派な店もたくさんある。スペインには、イスパノ・モレスクという、近東系の美しい焼きものがあり、つねづねその傑作が一つほしいと思っていたので、ある日その一軒を訪ねたが、行ってみて驚いた。あるわあるわ、イスパノ・モレスクばかり、天井から床に至るまで、あらゆる時代のものがぎっしりつまっている。その中に一つ私の眼をひいた大皿があり、天井からおろして貰ったが、それは十六弁の菊花を真ん中に、大きく強く彫りおこしたもので、こんな力強い作はイスパノ・モレスクには珍しい。時代も古いらしく、しぶい色合いといい、和やかな味といい、日本の志野や織部にもおとらない。早速貰うことにしたが、こういう時のうれしさは、外国で無二の親友にめぐり合った気持ちである。

十六弁の菊といえば、いうまでもなく御紋章である。が、これは菊のように見えても、実は蓮の花で、やはり帝王のしるしとして、近東系の文様には、非常に古くから用いられていた。だから、菊でないことは確かだが、それが菊としか見えないのは、私が日本人のせいだろう。偶然の一致かも知れないが、西の国の蓮が、日本へ渡って、菊と化したのは極く自然な成り行きで、特に室町から桃山時代へかけては、きものや蒔絵《まきえ》に盛んに使われた。私がそれにひかれたのも裏にはそういう伝統があるからで、もしなかったら、もっと冷静に見られたに違いない。物を見るとは、実にむつかしいことなのである。

さて、失敗といったのはそれ程ほれこんだイスパノ・モレスクが、日本へ帰って、志野や織部の中に置いてみると、思った程に美しくはなかったからである。いい物には違いないのだが、いくら自分にそういい聞かせても、もはや買った時の喜びは、再び返っては来なかった。

私はあの時、自分でも知らずに、一種のホームシックにかかっていたに違いない。ローマやルネッサンスの文化に圧倒されると、どうしても日本のものが恋しくなる。そこへたまたま似た物が現れたので、とびついたというわけだが、それはしょせん似て非なるものであった。人間の心理ほど、当てにならぬものはないと思う。

だから鰯の塩焼きも、キリストの肖像も、もしかすると、私が見た夢かも知れない。読者は信用なさらないほうがいい。だが、少なくともスペインという国が、そういう夢を見させてくれることは、『ドン・キホーテ』以来の伝統といえる。

（『銀座百点』一九六三年十一月号）

物は人なり

いつか松永安左衛門氏から、秘蔵の茶碗を見せて頂いたことがある。朝鮮の刷毛目《はけめ》のような何気ない茶碗で、実にいい味になっており、何れ名のある銘器かと思ったら「実はこれ、発掘でね、三十年前に、三円で買ったんです。そして毎日使っていたら、こんなによくなった」と、お得意の様子である。松永さんは、美術館も持ち、著名な蒐集家だが、人の知らない所で、そういう生活もされていたのである。焼きものとは、そんなものだ。可愛がってやれば、育つ。そして、文字どおり、手塩にかけて育てたものは、自分の子供みたいな気がして来る。だが、必ずよくなると信じて、使っている間に、変なしみが出たりして、駄目になる場合もあるのだから、いよいよ面白い。また、早く味をつけようとして、焦ってみてもはじまらない。煮湯《にえゆ》やお酒で煮たりすると、一応味がつくことはつくが、荒っぽい感じになる。此方の気持を映すのだ。そういう時には、向うから見られているようで、恥かしい思いをする時があるが、要は、短気を起さず、気長に付合うことである。毎日のように、出したり入れたり、洗ったり拭いたりしている間に、自然に内部からにじみ出るもの、それが焼きものの味であり、個性である。そうして、一人前になると、値段も十倍百倍にはね上るが、私などはお金があまりないので、よく先物買いをして失敗する。負け惜しみをいうわけではないが、先物買いには（変なしみが出たりして）危険がともなうかわり、楽しみも多い。近頃では、完成したものより、育てる方が楽しみになった。特に、徳利は面白い。徳利は生来酒好きらしく、お酒を入れておいたり、お酒で拭いてやると、みるみる御機嫌になって行く。私が食事の後で、よくそんなことをしていると、子供が焼餅をやくのか、いやらしいとか、気ちがい沙汰とか笑ったものだが、最近は、彼等もひそかにやっているようである。

若い人達の間でも、この頃は骨董がはやっているらしい。骨董は買ってみないとわからないというが、苦労して買うと上達も早い。買ってもしまっておいては何にもならないが、安い物でも楽しめるのが、日本の美術品のいい所だと思う。一流品は、誰にでもわかる。だが、たとえば蕎麦猪口《そばちょこ》のように、沢山あるものの中から、美しい品を選ぶのが、ほんとは一番むつかしいことなのだ。蕎麦猪口が美しいのではない、安物だからいいのでもない、発見すること自体に意味がある。秦秀雄さんは、井伏鱒二氏の「珍品堂主人」のモデルだが、どこから探して来るのか、安くて面白いものを持っている。二、三日前、遊びに行った時は、豚の蚊やりを見せてくれた。といっても、そこらに売っている代物ではない、おそらく一番最初に出来た豚であろう、色といい形といい、埴輪と見紛うばかりの美しさで、譲ってほしいとねだったが、許してくれということで、かわりに西洋鋏を二丁くれた。四国の古道具屋で見つけたとかで、手作りのいい味の鉄で打ってあり、私は今それを机の上において愛用している。これもたぶん明治の初期、はじめて西洋から鋏が入った頃、見様見真似で作ったものに違いないが、時代を問わず初期のものには、何か一生懸命作ったというような、うぶさが現れているのが美しい。他にも拍子木とか、農具とか、値段にすれば、百円台のものが多かったが、よほど年季を入れないと、こういう種類のものは見逃してしまう。さすが珍品堂の名に背かぬ眼の持主だと、私は改めて感心した。

一級品とちがって、買値はたかが知れているので、そう法外な値もつけられない。といって、探してもないものばかりである。骨董には、眼のほかに、運もつきまとうが、熱心に打ちこめば、運もついて来るものなのだ。そんな風にして、手に入れたものは、手放したくないのが人情で、しぜん商売は二の次となる。眼が見える辛さというべきか。商売でもうけるには、あんまり物が見えない方がいい場合もあり、これは他の職業についてもいえると思うが、金もうけか、人生の楽しみか、大ざっぱにいうと人間は、その何れかにわけられると思う。

むろん人間としては、後者の方が面白く、そういう人達に私は付合いが多いが、たまたま高い値段をいわれても、私は黙って買うことにしている。骨董屋さんで値切るのは、損なことなので、いいものは見せてくれなくなるし、(値切るのを予期して)高くいう為、結局余分に払うことになる。だが、それだけでなく、相手の眼を尊重して、少しは高く払ってもいいのではないだろうか。それが付合いというものではあるまいか。

日本の焼きものは、秀吉の朝鮮征伐の際、朝鮮の農民が日常使った雑器の中から発見された。大名物とか名物とか称される茶碗は、おおむね当時の伝世品である。造ったのは朝鮮人かも知れないが、取りあげたのは日本の眼だ。野草を花生けに活かすようなもので、発見というより、創作と呼ぶべきであろう。発掘の茶碗を使いこんで、育てることも、安物の中に名品を見出すことも、そういう伝統が生んだたまものである。

私はお茶のことはよく知らないが、自分が発見した茶碗を中心に、掛物とか花生けとか、その他もろもろの道具の末に至るまで、時には似合ったものを選び、時には変化を与えたりして、一つの調和を造りあげることは、音楽を作曲するにも似た喜びがあるに違いない。だがそこまで踏みこめないでいるのは、茶道も花道と同じように、孤児的な存在と化しているからだ。本来は、一般日本人の生活の基本であったものが、金持ちの道楽となり、花嫁道具と化し、或いは観光客相手の見世物となり終った。止むを得ず骨董の世界で、友達と付合って憂さを晴らしているにすぎないが、案外若い人の中から、新しい茶人は生れて来るかも知れない。安い月給の中から、彼等は物を買い、生活の中で使っているからだ。日本の伝統は、お茶の世界にはなく、今や大衆の中に移りつつある。将来のことはわからないが、そういうきざしがあることを、私は肌で感じている。いつかイランへ行った時、テヘランの骨董屋達が、外国人は百人の中、せいぜい一人しか買わないのに、日本人は十人いれば九人は買う、どうしてあんなに好きなのだろうと、びっくりしていたが、それが日本の伝統の厚味なのである。

「伝統を生かす」ということも、近頃はひどく手軽にいわれている。殊に私が関係している染織の世界では、往々にして、古い柄や色を真似する意味に使われる。反対に、新しい柄といえば、ピカソやマティスばりの模様だったりする。伝統の意味を解さないからである。

私の店に一風変った職人さんがいる（彼は名前を出すと怒るので、わざと伏せておく）。頑固な人で、付合って貰うのに十年はかかったが、染めものについて、彼ほど苦労して研究している人は少いと思う。彼は昔の染めものをよく知っており、到底かなわないと思っている。その原因がどこにあるかと云えば、染料でも糊でも、不自由だから美しいものが作れたのだという。現在は、材料が豊富に手に入る上、使いやすい。決して悪いことではないが、便利なものは、使いいいからしぜん手を省く。たとえば、よくのびる糊は、細い線も自由に引けるが、力が入らないので、かよわいものになってしまう。そこで、彼は糊から研究した。工芸の世界で困ることは、古典芸術とちがい、秘伝といったようなものがなく、常識として、誰でも知っていたことは書き残してはないのである。彼は手さぐりで探した後、ついに発見した。勿論、使いにくい糊で、他の人にはすすめられないが、彼の技術には合っており、それで引いた線は、実に力強く(何しろよく生地につかないので)、所々かすれたりするのが、何ともいえぬ味わいになる。発見したのは、もしかすると、昔どおりの糊ではないかも知れない。彼の作品も、したがって昔のものとは趣が違う。が、それに匹敵するほど美しい。昔の人が味わった不自由を、自ら造り出すことによって、肉薄したといえようか。

一事が万事で、一つの色にも、一つの柄にも、彼は同じ程度の工夫をする。こまかい模様の上に、手描き友禅をのせる場合、こまかい柄は当然型を使うのに、その部分まで手で描いてしまう。余分の賃金を請求したりはしない。手描き友禅の部分より、そちらの方が十倍も手がかかるというのに。「でも、この方が深みが出ます。型を使えば簡単だが、どうしても平面的になる。私は手がかかるのは一向構いません。何せ好きな仕事ですから、そこまでしないと、気が済まんのです」

そういわれては、返す言葉もない。ちょっと見は変りはないが、例の糊で、一つ一つ丹念に描いた模様は、何といっても厚味があり、他人には真似られないよさがある。不必要といえば不必要なことだが、無駄の効用を彼ほどわきまえている人はないだろう。そういう風だから、頑固である。気に入らない仕事は、割りがよくても引き受けない。そして、気に入ることといえば、ふつうならいやがるような、手間の要る仕事で、そういうものを頼むと、突然生き生きとなる。大分前のことだが、ある協会から、賞を出す為に、いい職人を推薦するよう頼まれた。私はすぐ彼のことを思ったが、もし機嫌でも損じては、先方にも悪いと思い、あらかじめ打診してみた。すると、案の定、断って来た。——賞を頂くのは有りがたい。が、頂くと、仕事を頼む人が多くなる。が、どうせ沢山は出来ないので、断るのに時をつぶすのがいやである。私はただ仕事をすることだけが楽しいのだから、なるべくそっとしておいて貰いたい、と。

彼は技術の上に、伝統を生かすだけでなく、仕事を楽しむという職人の伝統も、同時に生かしているのであった。そのような人間にかぎって、あまり世間へ出たがらない。楽しみを奪われたくはないからだ。染織の世界には、未だそういう人がいくらかいる。きっと他の所にもいるに違いない。私達が知らないだけで。——そう思わなかったら、あまりにこの世の中は索漠《さくばく》としすぎている。

私の付合いは、大方そういう人種に限られている。世間からは、変人か、「珍品」に見えるかも知れないが、私にしてみれば、彼等の方が常人なのである。第一、よけいなお喋りをしない。どんなに大きな夢を抱いても、実際の仕事に当ると、手は口ほど自由に物がいえないことを知っているからだ。骨董屋さんは、物を造る人達ではないが、物を扱う点では同じである。そこに美というあいまいなものと、金というはっきりしたものがからまるから、事は面倒になる。

（「日本のもの・日本のかたち」のうち。初出不詳。一九六八年）

ほんもの・にせもの

　数年前、伊万里の贋物が大量に流れたことがあった。「芸術新潮」や週刊誌がとり上げたから、記憶している方も多いに違いない。これには一流の眼利きもひっかかった。いや眼利きほど、だまされるものがあったといっていい。何故かといえば、それらはよく出来ていただけでなく、発掘の破片でしか見られないような、極初期の伊万里で、こんなものがあったら素晴らしいと、常々夢に描いていたものだからである。そこを狙ったのは、天才的な知能犯だと思うが、流行というのは恐ろしいもので、皆熱にうかされたようになり、値段も日に日に上るばかりだった。一流の骨董屋さんまで、「じかに物を見る」日頃の訓練を、忘れはてたのだから面白い。あやしい、と思い出したのは、大方出つくした後で、大量にはない筈のものを、作りすぎた結果かも知れない。はじめから知っていた。だからだまされなかった、という人達もいるが、それは後からいえることなので、この世界では、贋物にひっかからないことは少しも自慢にはならぬ。女にだまされない男が、女を知らないようなもので、博物館や学者の意見を聞いて、安全なものだけ買っていれば、間違いはないかわり、進歩も望めないのである。

その後始末にも私は興味を持った。そういう時に人間は現れるからである。御多分に洩れず、私もつかまされ、(これはいつもの事だが)方々の骨董屋さんに借金が出来た。ある人は、知らん顔をしたし、ある人は執拗に請求した。またある人は、御破算にしてくれたり、申しわけないから、引きとるとまでいった。が、縁あって買ったものである、贋物だからといって、急に返す気にはなれなかったが、その人は売った先を一々たずね、全部現金で買戻したそうである。損害は大きかったが、そのかわり金では買えぬ信用を獲ち得た。私も損をしたかわり、この伊万里にはずい分教えられた。

その中のいくつかは毎日使っているが、新しい作と思えば、何もこだわることはない。市場でも、「例のテ」として、相当の値段で売買されているという。外国で贋物を作れば罰せられるのに、美しければ許されるのも、日本の面白い所だろう。やがて五十年も経てば、本物の中にまじる時が来るかも知れない。人間の場合でも、往々にしてそういうことはあるのだから、目くじら立てて怒ることもあるまい。私の祖父は、別に眼が利いたわけではないが、書が好きだったので、時々人が鑑定をして貰いに来た。その度に、「真と思えば真、偽と思えば偽じゃ」と、あっさり片付けていたのを思い出す。

永仁の壺も、乾山《けんざん》の焼きものも、うやむやになった。加藤唐九郎氏(永仁の壺の作者)などは、反ってその為に名を上げたくらいである。私などは性懲りもなく、例の伊万里と知って、出来のいいのがあると、今でもついほしくなる。いつかも京都の骨董屋さんで、譲ってくれないかと頼んだが、彼も被害者の一人だというのに、大事にしていて売ってくれない。いっそ当人に作って貰おうと思い、しらべてみると、死んだという。未だ三十そこそこの作者である。どうも臭い。今頃は別の所で、ひそかに志野でも焼いているのではないかと思ったら、最近の情報では、未だ生きていて、盛んに作っており、技術もひとしお上達したという。現に古陶磁の展覧会で、彼の新作がまじっているのを見たという人もある。こうなると、怪談めいて来る。真贋の世界は、底無し沼のようなもので、ジャーナリズムの好奇心や、行きずりの正義感など、よせつけない程奥深いのである。

現代は批評の時代である。猫も杓子も評論家になり、もしくは、されてしまう（私など、たまに古代ガラスで指輪を作ったりすると、忽ち宝石評論家と呼ばれるのだから恐れ入る）。たしかに、おかめ八目で、外から見れば色々なことがわかるし、いえもする。が、何故人は、きりなくわかったり、いえたりすることに、疑いを持たないのであろう。それより何故退屈しないのか。批評するとは、そんなにやさしいことではない筈だ。真贋の問題でも、この頃は議会に持出されることがあるらしいが、国民の税金を使う場合は当然のことだろう。私にしても、自分の税金で、変なものを買われては困る。が、一体誰がきめるのか。証拠はどうしてつかむのか。かりに、自白する人がいても、売名の為にしないとは限らない。とあってみれば、追及する議員さんも困るに違いない。真贋とは、それ程つかみにくいものであり、美とはそれ程あいまいなものなのだ。

殊に、日本の伝統工芸の場合は複雑である。たとえば能面で、龍右衛門の小面《こおもて》という場合(龍右衛門は、鎌倉時代の作者。小面は、若い女の面)今出来のものでも、立派にその名で通る。それは一つの型であり、龍右衛門は、もはや固有名詞ではない。それにもピンからキリまであって、本物は既に失われている(と私は思う)が、一応残った中で出来のいいものが、原型として通っている。工芸品ばかりではない。私の友達が大雅を一枚持っており、先日見せに来てくれた。どうも怪しいと思ったが、私には鑑定はできないので、専門の道具屋さんに見て貰うと、「これはよろしい」という。それでも納得が行かないので、更に追及してみると、「よろしい」中にも段階があって、正真正銘の大雅の傑作の他に、その他大勢の大雅があり、これはそういった種類の「よろしい」作であった。その他大勢の中には、むろん本物の駄作も交じっている。とすれば、本物とは一体何なのか。

先の伊万里についても、同じようなことがいえるのであって、はたして本人が、贋物と自覚して作ったかどうかわからない。本人に聞いても、はっきり答えられないかも知れない。それにこの場合は、桃山時代の古い伊万里が、もしかすると、こうもあろうかという創作的な意味合いもある。そこの所に皆ひっかかったわけだが、ひっかかるだけの魅力もたしかに備えていた。そういう次第であってみれば、真贋などとやかくいうのは無意味であろう。ただ、好きか嫌いか、つまるところはそれしかない。別の言葉でいえば、信じられるのは、自分しかない、ということだ。

（「日本のもの・日本のかたち」のうち。初出不詳。一九六八年）

骨董の世界

贋物がいいというのではない。贋物を恐れるな、といいたいのだ。贋物も、ものである以上、必ず教えてくれるものがある。そういうことを骨董屋さんは知っている。だから批判したりしない。いつか壺中居の広田さんが、エジプトの彫刻を見て、つまらなそうな顔をしていった。「フン、こんなものなら家のお蔵にいくつもある」。弟子が贋物を買って、そのままお蔵になったものが、ああいう店にはどれ程あることか。もしかすると、それが一流の店の厚味かも知れない。右から左へさばく人は、お金はもうけても、一流にはなれない。「秘スレバ花」なのだ。そういう我慢が、弟子を育てる。弟子はお蔵へ入る度毎に、自分の買った贋物が並んでいるのを見て、小言をいわれるより、はるかに辛い思いをするだろう。そこで身にこたえて覚えて行くのだが、骨董屋さんの中には、高い値を出して買った贋物を、神棚に上げて拝んでいる人もある。

そういう世界でもまれた人達は、皆個性を生かしている。物が見える・見えないは、生れつきもあることだから別として、それぞれ自分に合った生き方をしている。ある人は、美などそっちのけで、金もうけに専心し、またある人は、お客によく付合い、可愛がられることだけで立派に店をはっている。買うものは何もないのに、あすこだけはちょっとよらないと気が済まないといったような魅力のある人もおり、五度に一度は何か貰うので、結構商売が成立って行く。骨董屋さんというより、クラブといった方が早いような店があるかと思えば、演出が巧くて、つまらないものでも、その人の手にかかると、美しく見え、買って帰ってうんざりすることもある、という工合で、総じて彼等は商売人というより、芸人と呼んだ方がふさわしい。

お客の方も一筋縄では行かぬ。骨董を買って四、五十年などという古強者《つわもの》になると、かけひきが巧く、ほしいものがあっても、決して嬉しそうな顔はしない。長い時間をかけて、世間話などしている中に、骨董屋さんの方がついだまされて、値切りもしないのに、安く売ってしまう。それも楽しみの一つらしく、あっさり定まると、つまらなそうな顔をしたりする。そういう人達が、私に上手な買方を教えてくれるが、あんな芸当はとても出来そうにない。あきらめて、率直に付合うことにしているが、そこはよくしたもので、向うも安心して付合ってくれるから有りがたい。要するに、骨董の世界といっても、ふつうの付合いと何ら変りはないのだが、私の場合はふつうの付合いを、むしろ彼らから教わったといっていい。

壺中居の不孤斎《ふこさい》さんは、今は隠居の身分だが、戦争直後に私が買出した頃、こんなことをいった。「あなた仕合せな方ですね。わたしが五十年かかって、見ることが出来たものを、全部ひと月で見られる。この機会を逸してはいけませんよ」

財産税で、有名な蒐集が、どっと流れた頃の話である。私は子供の頃から、そういう人達の蒐集は知っていたが、買ったことは一度もなかった。とても手が出ないとあきらめていたからだ。そのくせ知識はあった。もう覚えていないが、今よりはるかにあったかも知れない。私は不孤斎さんのいいつけを守り、毎日のように壺中居の店へ通った。壺中居は、中国陶器が専門だから、唐三彩、宋赤絵、明《みん》の染つけなど、天下一品の伝世品ばかり、面白いように入って来て、忽《たちま》ち売れて行った。むろん中国には、もっと沢山あるけれども、名品となると日本に多い。桃山時代以来、選びに選んで将来したからである。そういう意味では、朝鮮の焼きものと同じように、日本の陶器と呼んでもいいと思うが、中国では雑に使われたものが、日本に渡ってその美しさが認められたものもあり、注文して作らせた品も少くない。それらが妍《けん》を競う花園の中で、私は夢に夢みる心地であった。ところが、ある日、どうしても買わずにいられないものに出会った。不思議なことに、それは日本の焼きものであった。これはもう夢ではなく、れっきとしたものである。六万円という値段は、当時の私には辛かったが、月賦にして貰い、買って帰ると、嬉しくてたまらない。寝る間も傍において、愛玩し、ただ見物していることと、買うことが、こうも違うものかと、生れてはじめて知ったのである。

それが病みつきとなった。以来、私には借金がつきまとい、年中苦しい思いをしている。たまに本など出版して、まとまったお金が入ると、ようやく払えてさっぱりするが、とたんにそれ以上の買物をするのだから世話はない。が、容易に手に入れたものが、そうたやすく身につく筈はなかった。不孤斎さんが、五十年かかって見たものを、ひと月といわないまでも、一年余りの間に殆ど見つくし、その中から好きなものをいくつか買って持っていたが、肝心の有難味が私にはピンと来ない。かたわら、名品は毎日出る。借金にも限度がある。止むを得ず、売ったり買ったりしていたが、売る時には別れが辛くても、「どうせまたあるサ」という安易な気分がないではなかった。そこがぼっと出の浅はかさで、世の中が落ちつくと、骨董も皆あるべき所に落ちついて、二度と当時のものには出会えない。たまに出会えても、もはや高嶺の花である。私が六万円で買った志野の香炉は、現在、千五百万円もするという。

では、もしお金があったら、買い戻すかというと、それは多分しないだろう。先にもいったように、私は今や育てる方に興味がある。大手を振って、一人歩きをしているものに、用はない。お金が沢山あったら、その精神もぐらつくかも知れないが、ないから強い。しぜん売るものがなくなって、買うばかり、時には贋物まで買ってしまうから、人に見せるものは何一つない。げに、骨董は魔道である。私の父は、益田孝さんとか原三渓さんなどと親しく、その恐ろしさを目のあたりにしていたから、私を骨董の世界に近づけなかったが、思えば不肖の子であった。

先程町を歩いていたら、本屋の店先に、網野菊さんの、『一期一会』がおいてあった。私は立ち読みをして、あの時思い出せなかった団蔵の辞世を見つけたので、書きそえておく。

（「日本のもの・日本のかたち」のうち。初出不詳。一九六八年）

古代ガラス

私はコレクションというものをしたことがない。そんなことは性に合わないし、第一、先立つものに欠ける。で、手におえる範囲の好きなものを、あれこれ買っているにすぎないが、長年やっている中に、おのずからそこに一つの規準といったようなものは出来上って行った。ひと口にいえば、私は日常生活に使えるものしか買わないのである。したがって、大変個人的なもので、自慢してお目にかけるようなものは一つもない。いってみれば、物を喰べるように、買っているだけで、努力して集めたものはないのである。

古代ガラスも、その一部分で、はじめはアクセサリーに使う為に買っていた。ほしいような宝石は、高くて手が出せないし、たとえ買えても、私に似合いはしない。そこで、古代人が使ったアクセサリーを、復活してみたというわけだが、そんなことをしている中に、アクセサリーには使えないような、勾玉や腕輪の美も、自然に集って来るようになった。実際に使えなくても、いじっていると気持がいいからで、古代人の心にふれる思いがする。

御承知のように、勾玉は、三種の神器の一つで、古くは鎮魂の具であった。動物の骨を模したとか、魚の形を現したとか、或いは人魂だとか、胎児を象徴したともいわれるが、はっきりしたことはわからない。何れにしても、その単純無比な形は、日本のすべてのものに共通する美の原型ともいいたいもので、柔軟な動きの中に、頭の先から尻尾の末まで充実した力がこもっており、さわっていると、たしかに、心が鎮まる。玉は魂に通ずる。昔の人は、美しい玉を身につけることにより、いい魂を招きよせたのだ。夜中、目がさめた時、原稿が書けない時、いやなことがあっていらいらした時、何度勾玉のお世話になったことか。そういう意味では、やはり私にとって、アクセサリー以上の生活必需品といえよう。

日本には、「玉造《たまつくり》」という地名が、十三ヵ所もあったという。現在では、出雲と大阪と東北に残っているにすぎないが、古墳時代から天平末期へかけて、ガラスはそこで造られていた。むろん勾玉の歴史は、それよりずっと溯るが、はじめは硬玉を用いたのが、大陸からガラスの技術が輸入され、玉造りの上に革命をもたらした。古墳から出るおびただしい数のガラスを見ると、それがどんなに盛んに行われていたかがわかる。勾玉の他にも、柑子玉《こうじ》、管玉《くだ》、輪玉、ひょうたんなど、中には用途のわからないものもある。勾玉の蟬もいくつか持っているが、これは中国の琀《かん》（死者の口に含ませるもの）から影響を受けたのかも知れない。蟬の変態に、再生と復活を見たからだが、その元になったのは、やはり勾玉の思想であろう。

最近は、宝石ブームだと聞く。私には縁のないことだが、それも一種のお呪いのように思われる。美しいものを身につけて、皆いい気持になりたいのだ。人間は、いつの世にも完全に呪術から逃げきれる程、強いものではないらしい。

（『太陽』一九六八年三月号）

月謝は高かった

私がはらった月謝、それももっぱら骨董の贋物をつかんだことを書けという注文である。

ほんとうに近ごろは贋物ばやりの世の中である。永仁の壺以来、はにわ、乾山、古伊万里など、それらについては私みたいな素人まで、いろいろ意見をきかれるが、一度も答えたためしはない。というより、そのたびごとに私は、このように答えることにしているのだ。

「骨董を買いもしないで、ただ興味本位で贋物本物を云々する近ごろの風潮を私は好みません。それは推理小説の興味と、なんら異るところはないからです。社会正義の名にかくれて、美術品とは縁もゆかりもない人達までさわぐのは、そのこと自体が贋物のように思われます」と。

この考えは今も変らない。もちろん、贋物が横行するのは悪いにきまっているが、真贋の別を究極まで追及するのは、誰にも不可能なことだろう。そんなものを計る物差しは、存在しないからである。かりに、贋物を作った人が名のり出たとしても、どこに証拠があろう。贋物の贋者も出てこないとは限らぬし、正真正銘の本物まで、自分が作ったといいかねまい。

そういうわけで、骨董界も、人間がつくりあげている以上、世間一般の機構と同じように、「まず大方のところ」で通用している。知らない人には、歯がゆく思われるだろうが、これが人間の智恵というもので、あまり厳しくさばきはじめたら、元も子も失うにきまっている。だいたい、世間を見渡したところ、本物の人間らしい人間が、いく人いることだろう。それに思いを及ぼせば、軽率に真贋の区別など、口にすることはできなくなる。

いつか細川護立《もりたつ》氏に、ある道具屋さんが、宮本武蔵の絵を鑑定していただいていると き、

「これは本物以上に本物すぎるから、たぶん贋物だろう」

といわれたことを思いだす。そんなことを見聞きしていると、何を、誰を、信用していいかわからない。ただ、自分の好きなものを買うだけで、それがたとえ後で贋物とわかっても、決して損はしないものである。

そこが月謝のありがたいところで、身に応えて覚えたことは、二度とふたたび同じ間違いをしでかさない。贋物をつかむのが恐ろしくて、大勢に鑑定してもらうのはなるほ

ど間違いは少かろうが、一生眼は見えないで終るだろう。第一、自分で「買った」という喜びがない。そういう人達には、「口惜しかったら、贋物ぐらいつかんでみろ」と、つい失礼なこともいいたくなる。

近頃問題の古伊万里にも、私はいくつかひっかかった。ひっかからない道具屋さんはないといっていいほど、素人も玄人も、だまされたのである。これは敵ながらあっぱれであった。単に巧い出来というだけでなく、ちょうど焼きもの好きの人達が、どこかにないかと捜しているような、初期のうぶさをねらった、知能的な犯罪で、その目的は別として、人心の機微をつかんだ演出は、実にみごとというよりほかはない。作者のほうも、贋物を作らせておくには、惜しい才能で今出来のものとして売り出したら、私はもっと買うだろう。これよりまずい本物はいくらでもあるし、うまい作家はいくらもいない。そういうことを考えると、この古伊万里はまことに特異な存在といえる。

贋物は、贋物ばかりとは限らない。これは変ないい方だが、本物のたとえば志野や織部でも、ピンからキリまであり、うっかりすると二流三流のものを買ってしまう。安い高いにかかわらず、何万となくあるそのなかのいい出来のものを買わないと、いくら本物でも、自分にとって贋物同様の価値しかないという意味である。

今まで私が月謝を払ったのは、そうしたもののほうが贋物の数より多かったかもしれない。が、それとていっぺん買った以上、決して損はしないものである。先日も私は、平凡な粉引の盃を買ってしまった。ほしいほしいと思っているときだったから、大していいとも思わないのに、つい手が出た。他に目ぼしい品がないときに、こういう失敗をしばしばやる。

また馬鹿なことをした。これからは気をつけましょう、そう思っていると、一月ばかりたったころ。同じような粉引だが、比べようもなく美しいのに出会った。無理にゆずってもらったが、もし、前の平凡なのを買っていなかったら、その美しさがすぐわかったかどうかわからない。こういう経験のない方には、何とつまらないことを書くと思われそうだが、骨董を買うことも、人生と同じようなもので、こんな工合に、実に遅々としか進まないものである。一つ一つの、つみ重ねとでもいおうか。それをくり返すうちに、しだいに辛抱することを覚えて、つまらない物には手を出さなくなる。眼が利くとはようするに、本物のなかから本物を発見するまで待つ、その我慢のことをいうのだろう。

骨董は、買ってみなくてはわからないというけれども、買ってもまだわからないことはたくさんある。はじめのころ——というのはもう十年以上も前の話だが、青山二郎さんにすすめられて、天下一品の粉引の茶碗を買った。当時は安いものだった。粉引のことを書いたので、思い出したのだが、たしかに買って、少時持っていたのにそれから何も教えられなかったことは、先の話で証明がつく。あれはたしかに美しかった。二つとない粉引であった。と今にして思い当るのも、この盃を買ったからである。他人にいわれて、人は経験することによってのみ、取返しのつかぬことを知るものだ。うわの空で買い、うわの空で売ったのでは、どんな逸品も、屑にひとしい。贋物を買うことより、そういう月謝のほうがはるかに高くつくのではないだろうか。少なくとも贋物は、一生忘れない深い傷口を残してくれる。

だが、私がほんとうに月謝を払ったと思うのは、今話に出た青山二郎さんである。弟子にしてやるといわれ、毎日銀座の酒場へ通った。そのころ、青山さんは、「筍生活」という作品も書かれたほど貧乏で、骨董を売って生活の足しにしていたが、そこへ私が現れたのである。はた目には、いい鴨と映ったかしれないが、私はそんなことは思わなかったし、今でも思っていない。毎日のように蒐集品を買わされた。そのうえ、「今にこれも全部飲んでしまうよ」といわれ、その予言どおりになった。

あのころの物を、現在でも持っていれば、私もずいぶん金持ちになっていたに違いないが、残ったものは、お酒を覚えただけで、骨董も、理解したほどには身につかなかった。月謝とはそうしたものである。

そして、先日、何年ぶりに、銀座のバーで、青山さんに行き会った。遺産がはいって、大金持ちになったとかで、りゅうとした恰好である。四百五十万円の、すばらしい織部の鉢を買ったという話も聞いた。

「でもね、僕はお前さんから小遣いをもらったときがいちばんたのしかったよ。金を持ったって、つまらない」

青山さんは、ぽつんとそういわれた。そんなものかもしれない。幸運は、いつも来るのが遅すぎる。が、そのとき私は私で、払った月謝を全部返してもらったような気持がした。元をとった、という言葉は適切ではない。元がとれるとしたら、むしろこれから先のことだろう。いや、必ず利子をつけてとってみせると、心のなかで誓った。私の感謝のしるしは、それ以外に表現の方法はないからである。


（初出不詳。一九六五年頃）

広田煕

私は子供の頃から陶器を見る機会には恵まれていたが、ほんとの所ちっともわからない。本で読んだり、人に教えられたりしても、覚えることと、見ることは別問題で、とても難しいと匙を投げてしまう。それでも時々文句なしにほしくなるものがあるのは、どうしたことだろう。

大分前だが、「壺中居《こちゅうきょ》」の広田煕《ひろし》さんが、志野のぐいのみ（盃）を見せてくれたことがあった。どこがいいのか、例によってわからないが、私はひと目見るなりとびついてしまった。が、それは既に売れてしまっており、買えなかったので、後で小林秀雄さんにそのことを話すと、

「あんなものが、お前さんの手に入りますか。生意気なことをいう」

と、叱られた。そんなにいいものか、とはじめてわかった次第であるが、口惜しくもあり、ほしくもあり、いつかは自分のものにして、自慢してやろうと思っていた。人に自慢するという楽しみがふえると、よけいほしくなるものである。が、中々手に入らな

いのは、小林さんのいわれるとおりだった。美術品は持主をえらぶのである。

ところが、先日私の息子が来ていうには、広田さんの家へよばれて、近頃買ったという志野の盃でお酒を飲んだ。ただし、「お母さんには黙ってらっしゃいよ」といったという。

アレだ。すぐわかったので、とんで行った。はじめは言を左右にしていたが、何時間もねばると、ようよう奥からサラサの包をかかえて出て来た。見せてくれるのなら、もう半分こっちのものである。わくわくして見ている前で、熙さんは、太った手でゆっくりと包をとき、箱から出して、台の上に置く。

私はすぐとろうとして、手をのばしたが、ひっこめた。これはどうしたことか。たしかに、あのぐいのみに間違いはないのに、はじめて見た時の感動が湧かない。見れば見るほど、美しいものだが、感心することと、ほしいということは、別物であるらしい、

「ごめんなさい、あたし、やっぱりいらないわ」そういうと、熙さんは、さもあらんという顔付きで、いった。

「そうですね、これは何処へ出したって、立派なものです。わざわざお買いになる必要はありません」

そんなものか、と二度びっくりしたが、だからといって、何がわかったわけではない。

ただ、私みたいなものにも、ひと眼で完全とうつるものは買わなくてもいいのであり、そんなことをいう美術商はよほど変ってるな、と思っただけの話である。

何処へ出したって、立派だというのは、客観的な価値があるということだ。中国の陶器は、ほとんどそうである。ダイヤモンドみたいに、誰が見ても美しく、それ自身に付随した価値があるから、骨董屋さんは皆同じ値をつける。が、日本の多くの焼きものはそうは行かない。たとえば利休が持っていたというだけで、不当な値段がつけられるし、誰ソレが褒めたというだけで高くなる。見識がないといってしまえばそれまでだが、また別の面からみれば、それ程人間を信用しているということにもなる。信用して、先ず間違いはない。ひと眼でわからなくとも、持って、使って、一緒に暮している間に、寡黙な人間が口を開くように、次第に様々のことを語りはじめるからだ。別な言葉でいえば、人に創造の余地を残してあるものが日本の陶器といえよう。近頃は外国人でも、日本の焼きものを好む人が多いが、幸いにして、彼等は、まだそういう楽しみを知らない。陶器は、見るだけのものだと思っている。が、本当に見るとは、かくれたものを引出すことであろう。この頃のように、日本ブームになると、いつ何時《なんどき》そこの所に気がつく西洋人が現われないとも限らない。そうしたら、主観的なものに、客観的な値段がつくようになり、みんな外国へ持ち出されてしまうかも知れない。その時、くやんでみても始まらないのである。

熙さんは、商売とは別に、そういう種類のものばかり集めている。どんなに頼んでも、決して譲ってくれない。これは美術商としては珍しいことで、大抵の人が、非売品でも、適当な値段なら必ず手放すものである。そういう所が、商売人らしくない。だから、小林さんとか青山二郎さんなどと、友達付き合いが出来たのだろうが、そんなに自分が好きなものなら、気に入った友達には、譲ってくれそうなものなのに、そうはしない所が、商売人らしくもある。

いつか私が、志野の香炉をもっていたことがある。これは昔、文化財の加藤唐九郎氏と、北大路魯山人が、わざわざ瀬戸まで「拝見」に行ったという逸品だが、当時は私に買える程度の値段だった。そのうち、お金がいることがあって、また熙さんに買って貰ったが、十倍ぐらいになっていた。それからまだ五、六年しかたたないのに、あるとき、「あの香炉ね、千五百万円で買いにきたけど、あたし、売りませんでしたよ。好きなものは、いくらお金をつまれたって、手放しゃしません」

とにくたらしい顔をしていう。嘘かほんとか知らないが、それでは私が買った時の何百倍、売った時の何十倍かになっている。しかも売らないというのは、私を口惜しがらせる為だ。その後、何度も同じことをいうので、癪にさわってならないから、いってやった。「そんなに好きなものを売って、皆に一杯飲ませたら、偉い奴だと頭さげるがなあ。口惜しかったら、売ってみろ」でようやくだまらせることが出来たが、こんなにくまれ口骨董界ひろしと言えども、こんな友達付き合いができる人間は少ない。またしすぎたのでは、商売にさしつかえるだろうし、店のしめしもつくまい。

熙さんは、現在、壺中居の社長だが、店ではいつも難しい顔をしている。それだけ外へ出ると別人で、親切を通りこしたお世話焼きになり、うるさくって仕方がないような好人物になるが、これは多くの社長族に見られる所のものであろう。が、友達としては、――友達はいつも欲深なものだから、――もう一つ上の、人間的な成長が望みたい。社長としてのぞむのではなく、折角もって生れた長所（あるいは欠点）をさらけ出して、店の中でも外と同じようにふるまって貰いたい。そうしたら、模範をしめすまでもなく、誰でもなついてしまうだろう。我こそは馬鹿な社長の欠点を補おうと、こぞって精を出すに違いないし、お客ももっとついて来るだろう。熙さんは、利口すぎるのだ。「六十になったら、あそぶんだ」と口癖のようにいっているが、どういう意味か聞いてみたら、誰でも老人になると、眼が利かなくなる。そうしたら、店は若いものに任せて、自分は遊んですごすのが理想だ、といったが、たしかに高級な理想ではある。が、六十になって、いきなり遊ぼうと思ったって、人間そう都合よく出来てはいまい。一生かかって鍛えた眼だって、利かなくなるのを思えば、六十になったからといって、急に人間が変るのは不可能に近いのではないだろうか。

熙さんは、叔父さんの不孤斎《ふこさい》さんに育てられた。不孤斎さんは、有名な目利きで、今なお健在で、顧問のような立場におり、『歩いた道』という本も書いている。

それによると、壺中居は、関東大震災で、丸裸になった時、西山という友人とともに、大正十三年に開いた店で、「材料の材木を京橋の材木屋に買いに行くのに、当時の運賃一円を倹約する為に、二十銭で車を借りて、私が前曳きし、西山君が後押しして運んだものです」といっているように、自分の眼だけを資本に、非常な努力をして、無一物からスタートした。小僧さんから叩きあげた人だけに、そういうことも出来たのであろう。「この頃の若いものは、車のひき方も知りません」とは、彼がしょっ中自慢でいう言葉である。

不孤斎さんの専門は、支那の陶器で、性格も几帳面だから、絶大な信用がある。お客にも、細川（護立）さんとか、麻生（太賀吉）さんとか、有名な人達が多い。彼がした仕事は、大ざっぱにいうと、それまで日本に陶器といえば、茶器だけしかなかった所へ、いわゆる鑑賞陶器を紹介したことで、日本人はその時はじめて、お茶を放れて、使う道具から見る陶器へと、鑑賞の幅をひろげたのであった。

その範囲において、彼の功績は大きい。一人でしたわけではないが、そこへ眼をつけ、開拓して行ったのは、非凡である。そうして、功なり名とげたに関わらず、今でも朝早くから起きて、東京中の骨董品を、見て歩く努力を怠らない。家へ行ってみると、塵一つない清々しさで、一糸乱れぬ生活態度がよくわかるが、たまに一緒に飲むようなことがあっても、「明日の商売にさしつかえますから、ひと足お先に」さっさと帰ってしまう。まことに商売の鬼という具合で、とりつく島もないけれども、そのかわり、至って正直な好い人間だ。

骨董界には、そういうたちの人間と、熙さんのような変り種が何人かいる。鑑賞といえども、人間がすることだから、それは必然的に動いてゆかねばならない。それに、私達は日本人だ。世界的な陶器から、再び日本の鑑賞に戻ってくる必要がある。叔父さんの専門が支那陶器なら、熙さんのは朝鮮で、桃山時代に利休が朝鮮のものを発見したように、李朝を日本に紹介した。それは、お茶から放れて、単に鑑賞するだけでなく、ふつうの生活にも使うことの喜びをもたらした。広義な意味で、お茶に還ったともいえようが、使う以上は、人にも見せて自慢したり、たのしんでも貰いたいという、新しい「付き合い」の世界も出来上がって行った。物が、人間を教育したのである。文士との交際も、その頃はじまったらしいが、小林さんや宇野千代さんなどと、熙さんが親しくしているのを、一体どういうことだろう、と私はびっくりして眺めたものである。今から考えると、それも陶器のなしたわざだったのだ。やがて陶器にも皆があきると、自然付き合いの方も消えて行った。ほんとなら、そんな筈はないのに、熙さんは、淋しくはないだろうか。

先生達は、口が悪いので、彼のことを、不孤斎に対して、腹黒斎《ふくこくさい》と呼んでいた。もう一軒、繭山という美術商は、行くと総出で歓迎してくれるので、来々軒《らいらいけん》、画商の石原さんは、ロクブテ。これは手袋の反対で、いつも手袋をはめて物をいう、要心ぶかい人間を意味した。熙さんが、腹黒斎とよばれたのは、別に腹黒いわけではないが、といって、叔父さんのような正直者ではなく、一筋縄では行かぬ人物であるからだ。先生達に比べたら、私の付き合いは浅いので、よくわからないが、そういうことは、何かの折りに感じもし、教えられもした。ある日、大勢で飲みに行ったとき、家が遠いので、先に帰ろうとすると、「あんたは、いつも最後まで付き合ったことがない。付き合いというものを知らないよ」とさんざ怒られたことを思い出す。だが、近頃は、私より熙さんが、早く失礼なさるようなので、思い出したついでに書いておく。

これは美術商ではないが、美術界の変り種の中には、秦秀雄氏も入るだろう。今、井伏鱒二さんが、「中央公論」に、「珍品堂主人」という小説を書いていられるが、彼はそのモデルである。今の所では、骨董の売り買いの面白さの話で、秦さんの人間は描かれてないが、よほどの人物であるらしい。よく知っているのに、らしいとはおかしないい方だが、彼は今までにも沢山の小説のモデルになっており、その何れもが悪人に書いてあるのに、私にとっては熙さんと同じ位いい人で、いい友達という印象しかないからである。いつぞや会ったときも、もう自分のことが書いてある小説は読まない、どれもこれも悪党にしてあるからいやだ、と嘆いていたが、この頃は御機嫌がいい、井伏さんが、手柄話を書いてくれるからである。それだけでも、根っからの悪人ではないことが知れるが、人は、此方が現わすだけの反応しかしめさぬものであろうか。してみると、私はよっぽどのお人好で、馬鹿の方に近いのかも知れないが、人の言葉をかりに信じるなら、人間が、そういう風な関係において、半面しかしめさぬのは興味あることである。

何故ここに秦さんを持ち出したかというと、何かの折りにふと気がつく、熙さんの姿に似ているからだ。先日、小林秀雄さんの、野間賞の祝賀会があった。秦さんが見えたので、久しぶりで話していると、そこへ井伏さんが現われた。と、突然私は放ったらかしにされ、秦さんは満面笑みで、井伏さんと連れ立ってどこかへ行ってしまった。サヨナラもしないでである。

あとで、小林さんに聞くと、「へえ、秦が来てたのかい、会わなかったよ」というし、奥さんに聞いても、知らないという。秦さんは、小林さんの三十年の友であるばかりでなく、絶対の心酔者なので、そのお祝の席に来ていながら、これは何とも不可解なことであった。が、こういうことは、世の中によくあることで、決して珍しくはない。それでも他人ならいい、友達がすると、私は後々までも気になるのだ。

といって、私はとがめ立てするのではない。今さら嫌いになるわけもない、ただ「アーア」と思うだけである。感激とは、ただ一時のものであろうか。付き合いとは、偶然そこにいたから、仲よくするだけのことだろうか。それが人間の本性なら、悲しいことである。ねえ、熙さん、そうではありませんか。


(『小説新潮』一九五九年四月号)

芹沢さんの蒐集

Yという骨董屋さんで、どきどきするような屛風を見た。金箔の上に青竹の衣桁《いこう》を描き、「辻が花」や「縫箔」のきものが、何枚となくかかっている。こういう構図をふつう「誰《た》が袖」と呼んでいるが、その中でもこの屛風は図抜けて美しい逸品であった。きものの文様は、花あり草あり、蔦紅葉もあるといった工合で、桃山時代の染織の粋を集めている。そのはでな文様と色彩の間を縫って、単純な横縞とか、地味な格子が、息をぬくような調子でつないで行く。大胆と繊細、豪華と幽寂が、不思議な均衡を保ってひびき合っており、さながら美しい女性の群舞を見るようであった。

私はすぐ貰いたいと思ったが、値段を聞いてあきらめた。といっても、直ちにあきらめることができたわけではない。屛風は大きすぎて、出し入れに手間がかかるとか、四季折々の手入れが大変だとか、自分に言い聞かせるのにひまがかかった。ひと月以上もあれこれ難点を考えていたが、その程度のことで納得が行くものではない。ついに我慢しきれなくなって、再びYさんの店へとって返し、あの屛風は頂くことにしたというと、彼はいかにも残念そうな顔をして、実はひと足違いで売れてしまったという。私はほっとした。ほっとしたものの、逃がした魚は大きい。以来、「誰が袖屏風」というと、どこまでも追っかけて見に行ったが、あれほどの名品に二度と出会うことはできなかった。

それから十年ほど経って、ある日芹沢さんのお家へうかがうと、客間の正面にその屏風が置いてあった。私は挨拶することも忘れて、屏風の前へ飛んで行ったが、してやられた、と思う半面、芹沢さんなら仕方がない、「誰が袖屏風」は、きっと染織の作家のところに行きたかったに違いない、そう思って、今度はほんとうにあきらめることができた。

骨董というものには、不思議な縁としか言いようのないものがあり、時には薄気味わるく思うことさえある。そして、ほんとうに好きな美術品は、わずか数人、多くて十人くらいの数寄者の間をめぐり歩いていることに気がつく。けっして縁もゆかりもない人の持ちものになることはない。大げさにいえば、門外不出といってもいいほどで、その少数の人々は、お互いに知らなくても、美術品を媒介に、心を許し合っている。たまたま会えばうれしいが、わざわざ会ってみる必要も感じないほど、互いに信頼しているといえようか。

芹沢さんと私のつき合いも、ややそれに近い。存じあげているのは戦前からだが、お目にかかったことは数えるほどしかない。が、美しいものを集めていられることは、お時々雑誌に紹介されたり、展覧会へ出品なさるので知っていた。先生は柳宗悦《やなぎむねよし》氏の系統をひく、民芸作家の出ではあるけれども、その蒐集は必ずしも民芸にかぎるわけではなく、古今東西の広い範囲にわたっている。そのことは、「誰が袖屛風」を見ただけでもわかるが、主義主張にこだわらず、美しいものなら今のものでも、昔のものでも、玩具でも、一級の美術品でも、何でも構わないといったような、自由な眼の持ち主である。しかも、そこには一貫した美の規準ともいうべきものが通っている。これは口でいうのはちょっとむつかしいが、私がいいたいのは正にそのことであり、「蒐集」というものの持つ意味も、ほんとうはそういうところにあると思う。だが、先生は、「蒐集家」と呼ばれることはお嫌いに違いない。世のいわゆる蒐集家は、たとえば李朝の陶器とか、刀の鍔《つば》とか、埴輪とか、一つのものに拘泥する傾向がある。そして、大概は玉石混淆に終わっている。一つの種類にそれほど多くの名品があるわけがないからだ。そういう点で、芹沢さんの蒐集は(と、もしいわせて頂けるならば)、極めて健康で、調和がとれている。それにしても、いつ、どこで、これほど多くのものを発見されたのだろう。その中には、私の知らないものもたくさんあるに違いないし、一度見せて頂けないか、と人を介してお願いしてみた。

　ところが、その人に聞くと、先生の蒐集は厖大な数にのぼり、全部出したら三日はかかる。第一、置いて見せる場所もない。とりあえず目録の写真を見て、その中から選ぶように、とのことであった。届いて来た荷物をあけてみると、写真のアルバムがダンボールにぎっしりつまっており、とても選ぶことなどできない相談と知った。いっそのこと、手ぶらで行って、見せて下さるものを見ればいい、そういう呑気な気持ちで、蒲田のお宅を訪問したのは、小春日和ののどかな午後であった。

玄関を入ると、正面に、みごとな家型埴輪があるのが、先ず目につく。飾ってあるのではなく、置いてあるのだ。障子をあけたところがすぐ客間で、古い家具と新しい椅子、民芸とそうでないものが、みな所を得てしっくりとおさまっている。先生は入って来られるなり、「またかち合いましたな」といわれ、最初私には何のことだかわからなかった。が、「例の宗達ですよ」といわれたので、思い当たった。やはりYさんが所有している屏風で、ほしくてならないのに、値段が高いので買えずにいる。あれも芹沢さんが狙っていられたのか、何故私たちはいつも同じものに目をつけるのだろう、こういう強敵を持つことは、非力な私にとっては甚だ迷惑だが、同時にうれしいことでもある。私はしばし拝見に来たことも忘れて、屏風の話に打ち興じた。

話をしながら私は、正面の壁にかかっている不思議な絵に心をひかれていた。絵だか染めものだか、遠くからではよくわからない。もしかすると、中近東あたりの織物かも知れないが、幾何学的な文様と、やわらかい朱の色が何ともいえず美しい。話がひとくぎりついた時、私はたまりかねて先生にうかがってみた。先生はそれには答えず、そばへ行ってごらんなさい、といわれる。近くによって眺めると、何とそれは仏教の曼荼羅であった。曼荼羅に特有な丸い文がいくつも並んでおり、中には墨で梵字が書いてある。仏様の絵はなくて、白と朱と墨だけの単純な構図であるが、信仰の対象として描かれたものが、これほど優美な絵になり得るとは、今まで思ってもみなかった。印度に生まれた曼荼羅が、日本人の手にかかると、こんなに親しみやすい柔和なものになる。はたしてそれを形が崩れたとか、時代の差だけで片づけられるものだろうか。「鎌倉ころでしょうか」「さあ、どうでしょう」と、先生は時代などにまったく関心がないようであった。

物はただ美しくありさえすればそれでいい。時代や作者を気にするのは、自分の眼に自信のない証拠かも知れない。勿論、学者は違う。学者はそれが商売だから、美などにかかずらっていては、客観性を失うと思っている。我を忘れて、物にほれこむことができないとは、何という気の毒な人たちだろう。そういえば、芹沢さんの御子息も考古学の先生である。時には父上の自由にすぎる撰択を、批判されることもあるのではないか。「学者は面倒なものですね。類品がないと贋物だという。あの宗達の屏風だってそうですよ。ここにある弥生土器も、わたしはずい分好きなのだが、息子はいけないといっている」

と、飾棚の土器をとりあげて見せて下さる。たとえ著名な学者でも、息子でも、人のいうことなんか意に介さないといった表情で、まことにお見事という他はない。私はふと、「名人は危うきに遊ぶ」という諺を思い浮かべた。名人ならずとも、骨董の世界では、危うきに遊ぶところに、無上の楽しみがある。誰が見ても立派なもの、間違いのないものばかり集めていては、財産にはなるかも知れないが眼は育たない。だからといって、贋物でもいいというわけではないが、本物の中にもさまざまな段階があって、面白いものもあれば、つまらないものもある。そして、世間一般に名品として通用している美術品は、だいたい面白くないのがふつうである。そのすれすれのところにあるのが芹沢さんの蒐集で、たとえば「新当流剣道秘伝書」と称する絵巻物などは、店頭においてあったら誰が目をつけたかと思う。

上下は短いが、丈は非常に長い絵巻物である。はじめの方には、稚児のような前髪立ちの若者が、中振袖に袴をはき、二人一組になって、剣道の型を行なっている。奈良絵風の、素樸な筆法であるが、飛鳥のごとき身ごなしで、軽々と刀をさばいているのは、よほど剣道に秀でた画家か、絵心のある武士が描いたものに違いない。「遠山」「滝落」「落花」など、一つ一つの型に優雅な名前がついているのも、振袖姿の若者に似合っている。後半はもっと武骨な絵になって、鎧をつけた荒武者の実戦の場面にうつって行くが、その対照が実に面白い。絵巻の幅がせまいこと、全体の作りが奈良絵に似ていること、特に前半の稚児姿には、室町時代の男色趣味が汪溢しており、そのころの作品ではないかと私は推察した。

だが、依然として先生は、そういうことには無関心で、「さあ、どうでしょう」の一点ばりである。美術品の知識がないということでは、私も人後に落ちないつもりでいたが、ここまで徹底することは中々できない。物を書く人間の、止むを得ぬ弱点かも知れないが、私はあらためて先生から、物を見る方法を教えられる思いがした。知識はむろんあればあるほどいい。が、物を見る時は、すべてを忘れることが肝要なのだ、そして、自分を捨て去った時、はじめて物の方から歩みよって、その美しさの秘密を明かしてくれるのだ、と。柳さんがしきりに「じかに物を見る」ことを説かれたのも、そういう態度のことをいったのであろう。

「新当流」の絵巻物と一緒に、こんな珍しいものもあるといって、「四条流饗御膳」と称する冊子を見せて下さった。公家の料理法を示したもので、山水画を描いたお三方の上に、四季折々の料理が盛りつけてある。前者とは違って、念の入った細密画であるが、鳥や魚の扱い方だけではなく、お膳を飾る紙の折り方から、食器の種類に至るまで、一々こまかく指示してある。日本人は比較的食物には淡泊で、料理が発達したのは近世のことかと思っていたが、これをみるとよほど古くから工夫を凝らしたもののようである。またそうでなかったら、あれほど食器の類に心を用いることはなかったであろう。

そういう意味では、貴重な文献であり、どちらかといえば、有職故実《ゆうそくこじつ》の部類に属するが、それとは別に、絵の美しさ、面白さは比類がない。芹沢さんの鑑賞眼が、柳先生の影響をうけているのは否めないが、自由な点では柳さんを抜いており、民芸の域を脱していることは、このような蒐集品が何よりもよく物語っている。

前に私は、『芹沢銈介《せりざわけいすけ》 作品と身辺のもの』という写真集で、ガラス絵のようなイコンを見ていた。その中に、青い衣を着たマリアの像があり、味がいいので覚えている。そのことをお話しすると、かたわらの引出しから出して下さった。メキシコで買われたものとかで、ガラス絵ではなくて、ブリキに描いてある。何でもないそこらのブリキ板であるが、例によって、時代も、絵具も、先生は御存知ない。メキシコではなく、フィリッピンかも知れないといわれた。が、そんなことはどうでもいいほどこの絵は美しい。赤みがかった灰色の雲の中に、あざやかな青衣のマリア様がぽっかり浮かんでいる。スカートには一面に花が散らしてあり、全体にしっとりした味に落ち着いているのは、絵具がすれた下から、ブリキの鉛色がすけて見えるためとわかった。

ブリキのイコンの中には、面白いものが他にもあった。達磨様のようなキリスト像や、神像に似たマリア様もあり、特に馬に乗った人物の向うの建物の上に、マリアの幻が現われている風景は、ルオーの作品を想わせる。いずれ聖書の物語か、土地の伝説をもとに描いたに違いないが、村の人々のひたむきな信仰が、見る人の胸に伝わって来る。メキシコかスペインへ行けば、こういうものがざらにあると思ったら大間違いである。ざらにあるかも知れないが、その中から美しいものを選んだのは、芹沢銈介氏の眼だ。一億円の陶器を買うことは、お金さえあればやさしいが、ブリキ絵を発見するのは、誰にでもできることではない。芹沢さんの蒐集の面白さは、仏教の曼荼羅と、キリスト教のイコンが、仲よく同居していることであり、高価な美術品と民芸が、まったく同等に扱われているところにある。一つ一つの蒐集品が面白いだけでなく、このバランスそのものが美しい。

そのほか日本の大津絵や漆絵、外国の人形や陶器にも、心に残るものが無数にあった。今まで述べたものだけで、芹沢さんの蒐集の特徴は大体わかって頂けたと思うが、残念ながら私が拝見したものは、たとえ撮影したところで、そのこまやかな色彩と、うぶな味わいは、カラーに印刷することは不可能であろう。聞くところによれば、芹沢さんは、こうしたものを撮影する際、その場にも立ち会われ、丹念にひまをかけて指導されるという。染織の作家として当たり前のことかも知れないが、そういうところにも先生の、物に対するかぎりない愛情と、綿密な心遣いが現われていると思う。

おいとまする前に私は、今、先生は何が一番なさりたいか、うかがってみた。

「赤絵です」

と、言下に答えられた。年をとると、染めものの型を彫るのは辛いから、そちらの方は若いお弟子さんたちにまかせて、陶器に絵付けがしてみたい。既に朝鮮の白生地も買ってあり、庭に窯も築くつもりだ、と目を輝かしていわれた。

「その時は、ぜひ一つ下さい」「約束します」といって別れたが、染織作家の余技として、もしかすると、染めもの以上に美しい陶器ができるのではあるまいか。きっとできるに違いないと、私は信じて楽しみにしている。

（『文藝春秋デラックス』一九七八年三月号）

バーナード・リーチの芸術

バーナード・リーチさんとはかけちがって、一度もお目にかかったことはなかった。が、方々の展覧会などで、お顔はよく見知っており、長身の背をかがめ、太い眉の眼鏡こしに、優しいけれども鋭い眼をかがやかして、熱心にものを見ていた姿が印象に残っている。どこにいても、どんな人込みの中でも、目に立つおじさんだった。遠くから眺めているだけで、清々しい人物であったから、わざわざ紹介して貰う必要を感じなかったのかも知れない。彼の作品にも、そういう人柄は現われていて、李朝の陶器のように爽やかで、しかも力強い。亡くなられてすぐ、民芸館で、リーチさんの展覧会が行なわれたが、それと呼応するように、『バーナード・リーチの芸術』（The Art of Bernard Leach）と称する豪華本が、故郷の英国から出版されたのは、私どもにとっては喜ばしいことである。

この作品集は、リーチ九十歳の誕生日を記念して、一九七七年のはじめに、ヴィクトリア＆アルバート・ミュージアムで催された展覧会に出品されたものが主で、日本に所蔵されている作品はのぞいてある。序文によると、はじめ開催者の側では、浜田庄司氏の著書が、"Hamada-Potter"と呼ばれたように、"Leach-Potter"と名づけたかったが、リーチは陶器ばかりではなく、絵画や文学にも造詣が深かったので、それらを総括して"The Art of Bernard Leach"と改めたと断わってある。その言葉どおり、この本の中には、リーチの絵や文章のほかに、柳宗悦、浜田庄司等のリーチに関する記事の抜萃も、英語に翻訳してのせてあり、私の知らないことばかりなので面白かった。

それによると、彼は晩年セント・アイヴスに住み、そこは海岸で、満潮の時は波が窓の下までひたひたと寄せていた。家は西向きだったので、夕焼けが美しい。空には水鳥が飛び交い、背後には豊かな緑の平野がひらけている。居間の壁には彼が愛したゴッホの絵がかかっており、その前でブレークを暗誦し、禅を語って、あきることがなかった。彼は極めて自由で、寛容な精神の持ち主であったから、セント・アイヴスをおとずれる人々には快く面会し、自分の意見を述べたり、適切な注意を与えたりした。同時に、リーチにとってはもっとも貴重な夢——東と西の世界を結ぶ理想のために、残り少ない時間を惜しむことも忘れなかった。

一九七三年ごろから、彼は目が見えなくなり、陶器を造ることも、絵を描くこともできなくなったため、主に談話を筆記させていたが、美しいものに対する情熱は少しもおとろえることがなかった。彼の作品と思想を、一番理解していたのは、もしかすると、日本人であったかも知れないが、リーチほど世界中の人々に愛された芸術家はいない。「陶器を見れば人間がわかる」と、彼がいっていたのは真実で、リーチの個展は、方々の国々で、たぶん百回以上もひらかれたであろう。陶芸を愛し、自然を愛し、人間を愛し、多くの人々を助けたリーチは、まこと幸福な作家であった。九十歳の老人が、セント・アイヴスに座ったままでいても、我々に希望と光を与える存在であることに変わりはないと、序文の筆者は敬愛の念をこめて記している。

この本が出版されたのは去年（一九七八年）のことで、未だリーチさんは健在であったが、親友の浜田庄司氏の後を追うように他界されたのは、今年（一九七九年）の春のことである。そして亡くなってみると、今さらのように、彼の遺した功績の偉大さが偲ばれる。

偉大といっても、それは大作を遺したとか、絶妙な技術を発揮したとかいう意味ではない。彼の作品に接したことのある人は、誰でも知っているように、そこには極めて単純明快なものしか見当たらない。むしろ、人目を驚かすような創作や、複雑な技法は避けたように思われる。彼は口癖のように、"The Pot is the Man"といっていたそうで、どの作品にも、大地にしっかり根をおろしたたくましさとともに、柔軟性にみちた優しさがあり、人に媚びるようなものも、こけおどかしもない。そういうものが"Man"であり、陶器の特徴と信じていたのであろう。

先にもいったように、この作品集には、珍しいものばかりのっているが、東洋の陶磁器だけでなく、南米やエジプトの土器にまで及んでいるのは驚くべき探求心である。しかもそれらが単なる模倣ではなく、完全に自分のものになっている。たとえば黄色や茶褐色の大皿に、松の文様を描いた陶器などは、あきらかに日本の漆絵を模したもので、ちょっと見には漆の盆としか思えないが、英国のスリップ・ウェアの上に、日本の絵を描いて、しっくりおさまっているのは、正に「東と西の国を結ぶ」リーチの夢に叶った作品といえよう。その松の文様も、けっしてうわべだけの模倣ではなく、彼自身の絵になっているのも、日本の美術品に対する理解が深かったことを示している。

そういう例はあげれば切りがない。リーチがあまり好まなかったと思われる清朝の磁器に至るまで、みごとに換骨奪胎しており、時にはお手本になった原型より、はるかに美しいと思われるものも少なくない。が、何といっても、英国の伝統的なピッチャーとか、紅茶茶碗の類には、いくら陶芸の発達した日本人でも遠く及ばないものがある。写真で見ただけでも、どんなに使いよいか、持った時の手ざわりまで伝わって来るような心地がする。それについて、リーチは次のように述べている。一九七五年に出版された"The Potter's Challenge"という本からの抜萃で、そこには年老いた陶芸家の静かな楽しみと、美しいものへの限りなき愛情が語られている。

「壺の類を造る場合、わたしにとって一番の楽しみは、よい陶土を使って、手（ハンドル）をつけることだ。別につけるのではなくて、胎土をひっぱって造るのだが、それができたところで、少ししっかりした土のかたまりをこね、なめらかに保つように、終始手を水でぬらしておく。そのかたまりを取って、内側から親指で押しつけながら、手の平で外側の部分を、ちょうど牛の乳をしぼる時のような工合に、ゆっくりとていねいに形づくって行く。そこには造る喜びと、使う楽しみと、友達に喜んで貰う楽しみが共存している。その中でもっとも大きな喜びは、ハンドルをひっぱってつけるという伝統をもたぬ日本の陶芸家に、それについてはいささか自信のあるわたしが、教えてあげることができたことである。……」と。

あまり専門的な技術は、わかりにくいので、ここには省略して書いたが、「牛の乳をしぼる時のように」という表現は、いかにも英国人らしくて面白い。要するにピッチャーは、空の時でも、水が入っている場合でも、気持ちよく握れることが大切で、ひとえにそれはバランスにかかっている。そのバランスを支えているのは、ハンドルと、そのライン（線）で、「ぶなの木から枝が生えているように」自然にのびていなければならない。人間の腕に骨があるように、陶器のカーヴにも骨があって、ひ弱な線は構造上からみても、陶器の性質からいっても、けっして美しくはないという。

リーチの作品はおおらかで、柔らかいけれども、どれ一つをとっても、彼のいう「骨」が通っており、作者自身が筋金入りのジェントルマンであったことを語っている。

彼は工房にいる弟子たちに、一つの作品を、たくさん造ることをすすめた。たくさん造っている間に、自我を忘れ、手が自然に働いて、裸のままの精神の形が現われるからである。我々には常に二つの面がある。表向きには、ポーズとか立場にかかずらって、いつも何を教えられたか、何をなすべきか、考えているが、ほんとうの（内なる）人間は、自然に共感し、自らの仕事の中に潑剌とした生命を求める。それが現代の若い作家には欠けている。彼等は「芸術家」になることばかり熱心で、仕事の中に命を見出すことを忘れていると、彼はきびしく批判する。

日本においては、美と謙虚は常に同居していた。最高の職人は、自分をひけらかしたりはしないし、特に変わった形や色彩を発明して、「芸術家」になろうとも思ってはいない。くり返しの仕事というものは、たとえばおいしいパンを焼くのと同じことであり、同じ作品をたくさん造るというのは、けっして退屈なくり返しではない。世の中に、まったく同じものは二つとない。あるはずはないのである。そこに無上の楽しみが秘められていることを、リーチはくり返し説いているのだが、はたして日本の陶工は、今日でも彼がいうように「謙虚」であろうか。仕事の中に生き生きとした喜びを見出しているだろうか。

（『学鐙』一九七九年八月号）

戦国時代の意匠

昔は刀の鐔《つば》を熱心に集めていたが、私が思っているようなものは中々手に入らないので、そのうち息が切れて、あきらめてしまった。私の思っているものとは、戦国もしくはそれ以前の甲冑師とか、刀匠師の打った鐔で、複雑な文様や象嵌《ぞうがん》の入ったのはあまり好まない。総じて装飾的なものより、鉄味の方が私は好きなので、それは他の美術品についてもいえることである。

鐔のかわり、といってはおかしいけれども、私の周辺には、知らず知らずのうちにそういう気分のものが集ってしまった。ここに掲げたのはその一部で、ふところの都合上、高価なものは一つもない。が、意匠としては鐔に匹敵すると私は信じている。

一図（写真略、以下同）の煙硝入れは、黒漆の上に、梯子の文様が螺鈿《らでん》で入っており、口には象牙が使ってある。軽いから材はたぶん杉か松であろう。扁壺《へんこ》の形に作ってあるので、はじめは皮かと思ったが、戦国時代の意匠には、どことなく南蛮風な雰囲気がただよっているのが面白い。周知のとおり、真田家の紋は、六文銭である。が、梯子も旗印などに用いたと、どこかで聞いたことがある。家紋が定められたのは、徳川時代に入った後のことで、それ以前はかなり自由だったに違いない。梯子には、三段、五段、七段の三種があり、「人生は一段一段着実に足をふまえて高所に登るべし」との教えがあって、武家が好んで用いたという。そのうち五段梯子は、ふつう「牧野梯子」と呼ぶと、丹羽基二氏が書いていられるから、もしかすると、牧野家の紋章であったかも知れない。なお、この煙硝入れの箱には、一枚の葉書が入っている。仏教美術を専門とする藤田青花から、京都伏見の故相原知佑へ当てたもので二人ともその方面では著名な人物である。藤田さんの葉書には、時候の挨拶を述べた後に、「梯模様の合薬入御入手の由、思い切った意匠には驚き入ったとのこと。私も先日同じ図の戦国時代の流れ旗求めましたが、時代精神が溢れて大変面白く思います」とあり、近日関西へ行った時、拝見するのが楽しみだと記している。それが廻り廻って私の手に入ったというわけだが、「同じ図の戦国時代の流れ旗」は、今はどこにあるのだろう。こういう道具でも、しまっておくと味が悪くなるので、私は花入れに使っており、白い椿を一輪さすとよく似合う。

同じ図といえば、二図と三図の十字文も、瓜二つといっていい程よく似ている。一つは上質の薄絹の紅地に、十字を白く絞ってあり、広くいえば「辻ヶ花」の部類に入る（写真）。もし型で染めたなら、肉筆の力強さは出なかったに違いない。骨董屋さんは、「天草四郎の旗だ」といったが、むろんそんなことは伝説にすぎまい。「関ヶ原合戦」の屛風には、これと同じ十字文の旗印が、島津の陣に何本も描いてあるから、島津の旗であることは、ほぼ間違いがないと思う。有名な「丸に十の字」の紋章は、徳川時代に入ってから出来たもので、それ以前は十字だけを書いたのであろう。九州は切支丹が盛んであったから、たとえ信仰はなくとも、南蛮風の文様として、珍重したのではなかろう

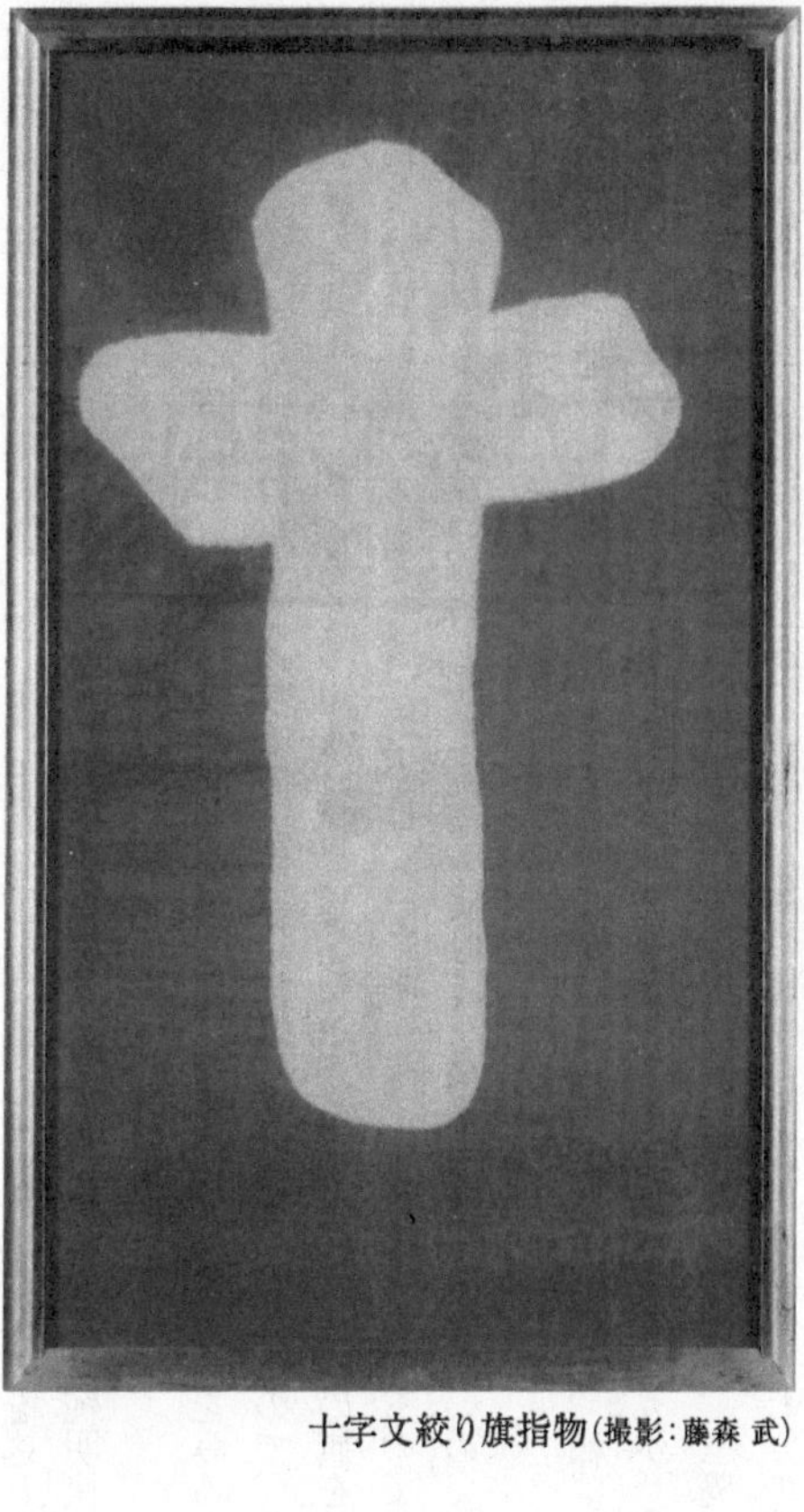

十字文絞り旗指物（撮影：藤森 武）

か。そうでなくても日本には、手の平に十字を書いて握っていれば、災いを逃れるという呪法が古くからあった。どちらにしても、武将の紋所にふさわしい、単純明快な意匠である。

縦長の形をしているため、私は旗だと思っていたが、絹を使っているのをみると、道服か、陣羽織のたぐいだったかも知れない。が、一部分しか残っていないので、それはどちらとも定めかねる。つい最近、知人の骨董屋さんが、これと同じ図柄の旗を持って来てくれた。ただし、こちら（三図）の方は、白い紬に墨で十字を書いたもので、筆法は前者とまったく変りがない。書としてみても美しく、文様としても面白いので、私は両方とも額装にして楽しんでいる。

四図の旗も、紅地の絞り染めで、十字文の絞りと同じ時代のものだろう。私は文様の名前にくわしくないので、よくわからないが、三蓋菱とでもいうのであろうか。菱《ひし》の実は、天平時代から歌に謳われ、文様にも描かれて、次第に業平菱や松皮菱、三菱、四菱などという変型も生んで行った。一つの小さな菱の実から、或いは身のまわりの道具や文字の中から、私たちの祖先は、どれ程多くの卓抜した意匠を工夫して来たか、それを思う時私は、感謝せずにはいられない心地がする。

（『大素人』一九八〇年第八号）

あたしのお茶

先日、京都の柳孝さんの店で、宗旦《そうたん》が所持していた瓢簞《ひょうたん》を見た。おっとりした形といい、底光りのする色といい、比類のない名品で、よく使いこんであるのでとろとろになっていた。中身の瓢簞もさることながら、その箱が素晴らしかった。材は檜《ひのき》か杉であろう、これ以上薄くはできないと思うほど軽く作ってあり、それが八角か十角の面取りになっている。曲げ物の一種だから、専門用語では「ひきまげ」（挽曲）というのかも知れない。さすがは宗旦だ。これがほんとうの茶人の数寄《すき》というものだと、私は改めて感嘆したのであった。

だが、待てよ、はたしてこのようなものを買って、私に使いこなせるであろうか。私は、自分の家のあちらの床《とこ》、こちらの違い棚においてみることを想像して、とても駄目だと観念した。この瓢簞は出来すぎているのだ。私のつけこむすきなど、どこにもない、そう思って口惜しいけれどもあきらめることにしたのである。

あきらめた話など、つまらないと読者は思われるかも知れないが、しいていうなら、そういうものが「あたしのお茶」なのである。理想をいえば、長次郎《ちようじろう》の「無一物《むいちぶつ》」に、志野の「卯花墻《うのはながき》」、高麗《こうらい》の井戸茶碗でお茶を飲むことだが、意のままにならぬのは浮世の常である。そうかといって、中途半端な道具ではいやなのだ。中途半端なお道具を拝見して、「結構でございます」などと、心にもないことをいうのはなおいやだ。その他もろもろの理由で、現代の茶道とは無縁である。因果なことに、それでもお茶を飲むことは好きなので、いろり端に一人で座って、茶を点《た》てる。時には友達が来て、道具の品定めをしたりする。

今もいったように、中途半端なものは嫌いだから、茶人が見向きもしないような道具の中から、面白いと思うものを発見して使っている。それがまた、井戸の茶碗以上になるもので、一生かかって七つ八つは集まったであろうか。たとえば信楽《しがらき》の山茶碗や矢車を描いた絵唐津、格子文の織部《おりべ》などでお茶を飲んでいる。その織部は、後世のいわゆる織部とはちがって、カンカンに焼きしめてあり、山茶碗と同じように、農民が飯を盛るのに使ったのであろう。

釜は蘆屋にとどめをさすが、それも財布の都合で古い鉄瓶で間に合わせている。長い間使っている間にいい味がつき、今やなくてはならぬ生活の一部と化している。それに鉄瓶だと、口からじかにお湯が注げるので、柄杓《ひしやく》は使わずに済む。したがって水指《みずさし》も要《い》らない。水指のかわりに、オランダ渡りのピッチャーを用いているが、これは小野賢一郎――青山二郎――秦秀雄を経由して私の手に入ったもので、ときどき花入れに化けることもある。

茶入は、黒田辰秋作の「金輪寺《きんりんじ》」で、茶入も、なつめも、私はこれ一つしか持ってはいない。茶杓はたぶん中国渡来の薬匙で、姿が美しいので、何に使うともなく取っておいたが、こんなところに金銅の匙など使うのはもっての外《ほか》のことかも知れない。が、「金輪寺」も元はといえば薬器であるから、似合わぬ筈はないと思っている。

いろり端には、床の間がないので、大黒柱に鉄斎の奈良絵をかけ、信楽のうずくまるに椿をいけた。実は今朝がた摘んで来たよもぎで、お団子を作っておいたのだが、お茶を飲む前にそれを食べたら、撮影する時に菓子鉢を出すのを忘れてしまった。間がぬけて見えるのはそのためだが、概して道具は多すぎるより少ないほうが好ましい。

私が安心して自慢できるのは、このいろりのふちかも知れない。昔、伏見の丹波橋に、相原知佑という面白い骨董屋さんがいた。覚えている方もあると思うが、非常に趣味のいい家に住み、そこで道具を見せられると、何でもよく見えるので困ったものである。彼はいつもいろり端に座って、愉しそうに古美術の話に興じていたが、その炉ぶちが二つとないものなので、何度もねだってみたが、けっしてウンとはいってくれなかった。今から七、八年前に亡くなったので、人を介して遺族にかけ合ったが、やっぱり駄目だった。それからまた数年経《た》って、今度は売るといってきたので、値段を訊くと法外なことをいう。ふつうの炉ぶちのざっと十倍はした。が、もともと骨董には値段なんかないものである。好きだから買う、ただそれだけのことだ。で、目をつぶって買うことにしたが、現代人にはとても通用しない愚かな行為であろう。そういう馬鹿な人間が近頃は少なくなった。そういう骨董屋さんも少なくなった。

この道や行く人なしに秋の暮

(『とんぼの本　現代の茶会』新潮社、一九八四年)

持仏の十一面観音

ある日、京都の骨董屋さんで、平安時代の十一面観音を見た。ちょうどその頃私は、『十一面観音巡礼』を出版したところで、骨董屋さんは、単に参考のために見せたかったのだろうし、私の方としても、仏像などに手が出せる筈はないので、ただ美しい観音さまだと思って眺めていた。

ところが、帰りの新幹線の中で、その観音さまがどうしても目に焼きついて離れない。「仏はつねに在せども、うつつならぬぞ哀れなる……」という今様があるが、この時ばかりは現実に目前に現れて、逃れようがないのであった。呪縛にかかるとは、こうしたことをいうのかも知れない。値段のことはまだ聞いていなかったが、とても私の手に負える代物でないことは判っていた。その頃私は、ルオーの絵を二年越しの月賦で買い、やっと支払いが済んだところだった。あの絵と引換えなら、観音さまは買えるかも知れない。ルオーか、十一面観音か、大げさに云えば、キリストと仏さまの板ばさみになって、私は悩みに悩んだ。こういう経験のない読者には、滑稽きわまる話だろうが、骨董好きというのはそうしたものである。

まだ元気でいられた小林秀雄さんにも相談した。小林さんは、当時ルオーに凝っていたから、「フン、十一面観音か。観音さまなら、日本人には誰だって解る」と、不機嫌であった。ものを買うのに人の意見を訊くなんてことは、人生相談と同じことで、こちらの方針は既にきまっている。結果として、お金があればルオーはまた買えるだろうが、こんな美しい観音さまには二度と出会えまい。しかも、本を書いてすぐのことであってみれば、よほど深い御縁があったに違いないなどと、勝手な理窟をこねあげて、ついに自分の物にしたのは、今から五年ほど前のことである。

写真でごらんの通りのものだから、くわしい説明ははぶきたい。時代は十一世紀、檜の一木造りで、十一面観音の信仰が、広く行きわたった頃の彫刻である。この観音さまがちょっと変っているのは、頭上に頂く九面（瞋《しん》面、牙出《げしゅつ》面、笑面など）が、蓮の花びらに省略されていることで、全体の姿もそれに準じて単純化されており、仏像より神像の感じに近い。したがって、立派な観音さまというのではなく、完成期をすぎて、やや頽廃の気をただよわせている仏なのである。

近頃は、世紀末という言葉がはやっていて、美術界でも末期的な症状のものが持て囃される傾向にあるが、やたらに騒がしいだけで、醜い作品が多いことに気がつく。が、ほんとうの世紀末の美とは、そんなやけっぽちなものではなく、気候にたとえれば夏から秋への移り変りのような、人間で云うなら年増女の色けのような、少し寂しげでうらぶれた感じをいうのだと私は思っている。この十一面観音は、世紀末の作とはいえないが、院政時代のそこはかとない情緒をたたえており、そういう意味ではやはり時代の移り変りを想わせる。頽廃の気配はあってもまだ完全に堕落してはいない、過渡期のたゆたいの中にあるといえようか。私にとっては、そこが魅力なのであって、あんまり立派な仏像では、そばにおいて愉しむわけには行かないのだ。

はじめ私は床の間に据えてみたが、仏像には光背《こうはい》がないと落着かない。といって、大仰なものでは似合わぬので、柳悦博《よしひろ》氏にお願いして、絹で織って頂くことにした。柳さんは、そういうことが大好きな方なので、糸や染めかたにも工夫を凝らして下さった。二人で相談して、光背は舟型か、蓮弁のようなものがいいと思い、私は下絵を描くことにしたが、何度描いてみてもしっくり来ない。私の記憶にあるのは、しっかりした天平の蓮弁だったからで、それを少し弱い形にして、肩を落してみたら、はじめてぴたりと調和した。頽廃期の仏像であると、認識したのはその時のことで、小さなものでも自分で作ってみると、時代の特徴がよく判るのは面白い。一見、型染めのように見えるが、実はそうではなく、「板じめ」という手法で、糸を藍につけて織ったものである。蓮弁の白いふちが、絣のようにむらむらになっているのはそのためで、型を使ったのではこんなに柔かくはできなかったであろう。

十一面観音立像(撮影:藤森 武)

現在、この観音さまは、私の居間に置いてあり、日夜朝暮に眺めている。拝んでいる、といいたいところだが、私は別に信仰しているわけではないので、いっしょに暮しているといった方がいい。五年の間、毎日お香を焚いたり、花を供えていると、十一面観音を「取材」していた時とは、おのずから違う親しみが湧く。

毎日見つづけている間に、私はある一つの結論に達した。結論というのも大げさだが、それはこの十一面観音が、熊野の九十九王子に祀ってあったのではないかということである。九十九王子でなくても、それに類似した神社か祠にあったのを、明治の廃仏毀釈によって、民間に流れたのではなかったか。それを証明する何物も持たないが、仏像より神像に近いこと、頭上の九面が蓮弁に変っていること、それに何よりも全体の雰囲気に、仏教臭が感じられないことなどが、無言の証明といえるかも知れない。が、私は別に証明なんかしたいわけではない、仏さま扱いはしていないのだから、「持仏」というのは少々気がひけるが、私が死ぬ時はこの観音さまが、優しく見守って下さるに違いないと信じており、そう信じているだけで充分なのである。

（『太陽シリーズ観音の道3　近江路から若狭へ』平凡社、一九八四年）

信楽・伊賀のやきもの

あかねさす紫野ゆき標野《しめの》ゆき野守は見ずや君が袖振る　額田王

汽車が、近江八幡から草津のあたりを通る度に、この歌をよんだのはどの辺であろうかと、空想するのがたのしみだった。

南へ向って、ひらけた沃野の中に、雪野山、鏡山、三上山など、名も姿も美しい山々が、忽然と現われては消えて行く。その間を縫って、大小さまざまの古墳が点在する。そこから発掘される陶器や銅器、装身具のたぐいは、この優れた歌にひとしお趣きをそえるようであった。

殊に、崇福寺跡から発掘されたという小さなガラスの地鎮器は、今京都の博物館に並んでいるが、あんなに澄み切った青は見たことがない。それはさながら、あかねさす歌の姿そのままで、もしかすると、あれは額田王が、朝な夕なに用いた化粧の壺ではなかったか、そんなことを想像する時もある。

また、雪野寺から出た童子の塑像も、私にとって忘れがたいものの一つである。法隆寺五重の塔内の、俗にいう泣き仏達が、どんなに傑作だとしても、この美しさにはかなうまい。近江の土は、未だあのようなものを、無限にふくんで知らん顔でいるらしい。近頃、「秘境」というものがはやっているようだが、灯台下暗しである。白鳳時代は、近江の国で夜明けを迎えた、そう私は信じているのだが、そういう私自身、未だ近江へはあまり行ったことがない。

それでも大津の宮趾ぐらいは、昔たずねた記憶があるが、あとは坂本の鶴喜《つるき》で、おそばを喰べるのがたのしみで、ついでのことにいっておくが、ここの鴨なんばんは天下一品なのである。湖水の野鴨を、骨ごとたたいて使っているからだが、寒中でもたまにしかとれないそうだから、喰べたい方は前もって頼んでおいた方が安全である。

そんなわけで、私の近江における経験といったら、鶴喜のおそばにつきるのだが、最近名神国道の工事なぞで、あらたに発見された出土品を見たり、信楽《しがらき》の壺を買ったりしている中に、私の近江への関心は、次第に熱をおびてきた。美術や秀歌の故里というだけでなく、平城・平安の都のいわば楽屋のような立場として、多くの物語や歴史を秘めた地に、個人的な愛着さえ感じはじめている。そこへ、信楽・伊賀の焼きものについて書け、という注文だ。二つ返事で引受けたのはいうまでもない。

引受けはしたものの、どこから入って行けばいいのか。ろくな知識もないものが、三度や五度たずねてみた所で、古い土地が、胸襟を開いてくれる筈はない。ほんとうなら、これは近江にくわしい人が書くべきなのである。だが、考えようによっては、読者の大部分も、私と同じ程度に未知だろう。それなら、そういう方達と、一しょに旅行をするつもりで、行き当りばったり歩いてみるのもたのしいかも知れない。一夜漬けの知識より、むしろまったく手ぶらな方がいい、そう思って私は、ある日、京都の宿を旅立った。

恭仁京趾にて

むろん目的は、信楽と伊賀にあるが、お芝居でもお能でも、「道行」はいつも面白い。たまにしか来ない所である、私たちもゆっくり道草を喰いながら見物することにしよう。

京都から、信楽へ行く道はいくつかある。先ず大津から草津へ行き、そこから東海道を水口へ出、西へ折れて山越えをする、これがふつうの道順だが、奈良街道を南下して、木津川ぞいに東へ曲り、和束《わつか》、朝宮を経て、信楽へ達する古い街道もある。どちらも車で二時間あまりの行程だが、私は後者の道がとりたかった。その昔、聖武天皇が、恭仁《くに》京から紫香楽《しがらき》の宮へと、何度も往復された道筋だからである。

木津の橋の手前を、左へ折れると、道路は急にせまくなり、程なく恭仁京趾へつく。たっぷり水をたたえた木津川が、ここで大きく迂回し、自然の盆地をつくり出している。

このあたりが万葉で有名な瓶《みか》の原《はら》で、奈良朝の離宮もあったとか。だから聖武天皇も、そのゆかりの地を選ばれたのであろう。恭仁京趾には、大極殿の礎石がいくつか残っているにすぎないが、天平の名にそむかぬ雄大なもので、こんな石が庭に一つあったら、何にもいらないなと、ついいつもの癖が出てしまう。

ここは前にも何度か来たことはある。が、一番はじめの印象が、一番強かった。もう二、三十年も前のことだろうか、奈良へ行くつもりが、橋の修繕か何かで廻り道をしたとき、思いがけずも「恭仁宮大極殿阯」と記した立札の前に出た。折しも秋の末のことで、後の山からなだらかに降りて来る裾野一体がこがねの波にゆれている。さすがに天平の都は、いい地形を選んだものだ。そんなことに感心しながら、物音一つしない真昼のひととき、古京の跡に佇んでいると、放心したような気分になって来た。大和に親しい人なら、誰でも知っている、あの嬉しいような悲しいような、胸をしめつけられる思いである。若い頃の私は、よくああいう感動におそわれたものだ。そして、わけもなく、飛鳥や山辺《やまのべ》のあたりをうろついたものだった。大和の周辺には、たしかに、古代のお化けがうようよしている。これにとりつかれると、とんでもないことになるのを、私はその後色々な経験から知るようになったが、一言にして云えば、人をいい気持にさせる所が、お化けのお化けたる所以かも知れない。田舎者が都会へ出ると、忽ち悪い病に感染するように、関東の荒えびす共は、このような物の怪《け》に対して免疫性がない。今、古都巡礼がはやっているのも、そうした病の一つのあらわれではないだろうか。

それはとにかく、恭仁京というのは、不思議な所である。何故、聖武天皇は、急に奈良を捨てて、こんな所に宮造りをされたのか。ここは未だしも、もっと辺鄙な信楽の山奥まで、まるで何かに追われるみたいに、性急な遷都を企てた。結果はいずれも失敗に終ったが、それと並行して現れた、大仏建立のとてつもない夢は、冷静にみれば気違い沙汰としか思えない。


今造る恭仁《くに》の京《みやこ》に秋の夜の長きを独り寝《ぬ》るが苦しさ　家持

敏感な詩人の心は、世相の不安、新京の居心地の悪さを、個人的な感情に托してうったえている。

天平と云えば、いうまでもなく史上もっとも華やかな時代である。が、この華やかさは、豪族あるいは同族同士の、血みどろな戦の中から咲いた花なのだ。その花にもたとえられる光明皇后は、正しく天平の象徴といえようが、はたしてそんな夫人を持った夫の心はたのしんだであろうか。あわただしく、吉野や紀州へ行幸し、難波から恭仁へ、恭仁から紫香楽の宮へと、遷都をかさね、あげくのはては、結局奈良へひき戻された帝は、極くふつうに考えても、決して外から眺めるような幸福な人とは思えない。

すべては、皇后の異父兄、橘諸兄《たちばなのもろえ》の策動によると史家はいう。それなら尚更のこと、皇后の裳裾にかくれる哀れな帝とはいえないであろうか。光明皇后は貞節な妻であった。信仰深い、聡明な女性であった。だからといって、そういう完璧な女性が、必ずしも夫を仕合せにするとは限らない。証拠は何もないけれど、美人の后に恵まれた帝は、私にはとても淋しい人に思われてならないのだ。

が、広く云えば、それはもしかすると、日本の天皇の宿命かも知れない。特別な場合をのぞいて、彼等は豪族の後楯をいつも必要とする弱者であった。だから万世一系も可能であった。無力の帝王、――それが日本の天皇の姿であり、あえて云えば、日本の美しさともいえるのではないだろうか。

信楽への道

恭仁京は、礎石のほかに見るべきものはない。が、小学校の裏手に、いい石臼が一つ、捨てておかれてある。先日、土門拳氏の写真集で見たので、識者に聞いたら、天平の臼だという。前に見たときは、ちゃんと立っていたように記憶するが、今度行ったら倒れていた。はやる所ははやるなりに、さびれる所はさびれるままに、こうして美しいものが損われて行くのは悲しいことである。

裏手の山を三条山という。その中腹に海住山寺《かいじゅうせんじ》という静かな寺があり、鎌倉時代の三重の塔が、最近修理を終えて立っている。が、今日は時間がないので割愛することにして、再び木津川ぞいに、車を走らせると、次第に両岸から山がせまって来る。この道を真直ぐ行けば、笠置を経て、伊賀上野に至るが、信楽へ行くのには、和束からわかれて、東北に向わねばならない。和束には、安積皇子《あさかのみこ》の墓がある。聖武天皇の皇子で、皇太子にも立つべき人であったのに、わずか十七歳で亡くなった。突然の出来事であった。

愛《は》しきかも皇子《みこ》の命《みこと》の在《あ》り通《がよ》ひ見しし活道《いくぢ》の路《みち》は荒れにけり

大伴家持は、長歌もふくめて六首の挽歌をたてつづけに作っている。父帝をはじめ、それが心ある人々のほんとうの気持だったろう。毒殺されたとか、凶刃に倒れたとか、噂されるが、その位のことはいつでもしかねない人達であった。活道《いくぢ》というのは、このあたりの古い地名で、こんな辺鄙なところに墓が造られたのも、恭仁京から紫香楽の宮への往還に当っていたからであろう。死んで行く人より、いつも哀れなのは生きている人達だ。

この辺から、朝宮へかけては、茶所である。それも宇治あたりの平野と違って、山が深いので茶畠は、上からなだれ落ちるように、河原の真中までせり出している。聞くところによると、宇治より古いらしく、宇治より上質な茶がとれるという。真偽の程は知らないが、お茶も環境に恵まれすぎた所より、露霜にさいなまれる寒冷の地が適しているのであろうか。

木がくれて茶摘みもきくやほととぎす　　芭蕉

ふだんは忘れている句も、その土地へ来ると自然に口をついて出るのも面白い。暖冬も、ここまで入ると師走の風は冷たく、この道を何度かかよったに違いない芭蕉の後姿も目に浮ぶ。有名な「猿蓑」の発句も、「伊賀へ帰る山中」とあるから、このあたりでの作かも知れない。

朝宮の手前、湯船という所から、ほんとうは左へ折れるべきだったのを、私たちはうっかり真直ぐ行ってしまった。せまくはあるがいい道で、残《のこ》んの紅葉にみとれたりしている中、道幅が一そうせばまったことに気がついた。が、もう遅い。帰ろうにもバックが出来ないのだ。それはもう街道というより杣道《そまみち》で、路面とすれすれに川が流れており、時々は水の中を渡る始末である。こうなれば、行ける所まで行くより仕方がない。心細さと比例して、まわりの景色はいよいよ美しく、渓谷もいつしか浅いせせらぎとなり、逆に流れているのは峠に着いた証拠であろう。今までのうっそうとした谷間とちがい、石灰岩の為か、このびなやんだ櫨《はぜ》や楓が、そのかわりといった工合に、媚《なまめ》かしい色に紅葉している。もみじの中、というより、もみじの上を行く心地だ。日本は広い。こんな山奥に、こんなきれいな所があると誰が知ろう。

かかれこれ一時間あまりも走ったであろうか、急に目の前がひらけて、舗装した道路につき当る。ふり返ってみると、Y字形の追分になっており、ここで本街道と再びめぐり合ったというわけだ。が、もし道を間違えなかったら、あんな美しい景色には出会えなかったであろう。狐につままれたのか。いや、きっと聖武天皇が、みずから案内して下さったに違いない。

信楽の名称は、繁樹《しげらき》から出たという。が、今はそんな面影はない。繁樹どころか、ろくな立木はなく、裸の山が白けた肌をさらしている。焼きものの為に、切りつくしたのか。それとも荒地の為に、育たないのか。いずれにしても、冬空のもとに眺める信楽の第一印象は、白々とかわき切った感じで、朝鮮あたりの景色に似ていた。

そろそろ登り窯も見えて来た。皿を積んで、干している家もある。農家の柿の木越しに、採土場らしいものも望める。山も、畠も、壁も、道も、真白な土で、ここで火事が起ったら、みんな信楽の焼きものになってしまうのではないかしらと、妙なことを考える。

紫香楽宮

折角、恭仁京から来たのだから、陶器の方は後廻しにして、紫香楽の宮趾へ直行する。

町をはずれると、東の方に飯道山《はんどうさん》がそびえている。山伏の修験道で名高い山で、木喰上人も、ここに隠棲したと聞いたことがある。それにつらなる「信楽の外山《とやま》」は、平安朝の歌にもしばしば詠まれたが、成程こういう地形では、秘密の宗教も発達しただろうと想像される。どこから入るにしても、峠の一つや二つ越えねばならないのが、信楽から伊賀へかけての地形である。

程なく、紫香楽宮趾へつく。このあたりは、雲井と呼ばれるが、周囲には、勅旨《ちょうじ》、宮町、内裡野、寺野など、古い地名も残っており、称徳天皇が、道鏡とこもられた保良《ほら》の宮趾も、一説によればこの付近にあるとかで、歴史に事は欠かないのである。が、学問の浅い私には、そういう考証は苦手である。ただ、天平十五年十月、大仏建立の詔《みことのり》が、紫香楽の宮で発せられたという事実は、私達が知っておいてもいいことで、聖武天皇は、一世一代の大願を、この時、この所で、はじめて公けにされたのであった。

その詔勅は見事な文章だが、上から押しつけた命令ではなく、国民を信じ、国民に頼って、懇請していられる様子がよくわかる。それは主として、行基の影響によるといわれるが、行基に帰依したのは、他ならぬ天皇の意志なのだ。人はよくこの順序をとり違える。かりに行基の思想から出たものにしろ、実行にうつしたのは天皇で、私の想像では、この大事業の裏には、大和の豪族にあいそをつかした天皇が、彼等の向う側の一般大衆と、直接結びつきたいという切なる望みがかくされていたに違いない。

紫香楽の宮には、天平十四年から二、三年しか滞在されていないが、その間でも、あっちへ行ったりこっちへ行ったり、宮廷というも名ばかりで、のべつ火災や盗賊におびやかされていたらしい。が、それには新都建設に反対の、豪族の仕業とばかりいい切れないものがあった。

あれほど多い万葉集の中に、一つもこの宮を讃えた歌がないことでも、人気のほどは知れるというものである。そこには民衆のためによかれと思ってしたことが、かえって逆な結果を招くという矛盾が起りつつあった。動機はどんなに純粋でも、あまりにも性急な、一方的な望みが、直ちに世間に通じる筈はない。このころから、天皇が病気がちになられるのも、思いどおりにならぬどころか、思いどおりのことが逆な結果を招いたことに、落胆されたためかも知れない。

当時の不安は、紫香楽の宮の礎石が、無言のうちに物語っている。宮趾は、美しい松林の高台にあるが、恭仁京に比べて、礎石の数は多くても、ずい分お粗末なものである。物の形というものは、時には文献よりずっと多くを教えてくれる。歴史が語りたくないことまでも。宮殿などの造営も、この様子では、伝えられる以上に、未完成だったろう。かがやかしい天平の文化も、楽屋裏からみれば索漠たる風景である。

大仏の建造も、はじめはここで着手された。衆人に交って、天皇みずから縄をひかれたという伝説も、奈良の東大寺ではなく、紫香楽の宮でのことなのだ。人里はなれた山奥に、大工事を起した理由は様々あるだろうが、造営に必要な木材ばかりでなく、それ以上に重要な銅や鉄も産したからに他ならない。そういえば、恭仁京の近くにも、銭司《ぜず》という地名があり、和同開珎《わどうかいちん》の鋳造所だったと聞くが、この天皇の宮所は、いつも鉱山目当てに動いて行くように見える。逆に云えば、大仏建立の目的のために、ただそれだけの理由で、遷都が行われたと考えられないこともない。とすれば、新都の計画とともに、甲賀の大仏が失敗に終ったのは当然のことで、数年後には、何もかも根こそぎ奈良へ連れ戻されたのである。

別の言葉でいえば、すべては再び、そして完全に、大和の豪族の手に落ちたというわけだ。天皇は完全に孤立した。手も足ももがれ、なおかつ雲居に高くまつられている——それは王者ならでは知らぬ苦しみだったに相違ない。

先にも書いたように、聖武天皇にとって、おそらく大仏建立の真意は、天皇と一般庶民の結合を、盧舎那仏《るしゃなぶつ》という一つの形に凝結させることだった。やがて多年の宿願は、総国分寺の名のもとに、達せられたかのように見えるが、その大仏はもはや別物の相をおびていた。青丹よし奈良の都で、天下をあげての開眼の当日、天皇はどのような思いで、新しい仏の前にぬかずかれたことだろう。

信楽の焼きもの

信楽の町は、思ったよりも活気がある。美濃あたりでは、殆んど姿を消した登り窯が、あちらこちらの山あいから煙をふき、町には陶器があふれている。その間を、製品を積んだトラックが右往左往する。学校の運動場には、子供達の声がかまびすしい。久しぶりに、人間の生活にふれるのは、たのしい。と、思わず書いて私は苦笑しているのだが、わずか一日足らずでも、天平の昔からいきなり現代へ引き戻されてみると、ふだんは何かと文句が多いくせに、やっぱり生きているのはいいことだ、有がたいことだ、と思わざるを得ない。

だから、この町に活気があるといっても、それは遠くから来た者のいうことで、信楽の人々には不満かも知れない。近頃、古い信楽の焼きものが、めっぽう高くなった。高くなったのは、世間に認められたということで、今までほっとかれたのがおかしな位だが、そういうことは土地の人々の耳にも入っているに違いない。が、それは彼等とは無関係な骨董の世界の出来事で、自分達はと云えば、依然として、問屋にはたたかれ、商人には無理をいわれて、十年一日の如く営々と働いているにすぎない。そういう現実の生活と、古い信楽が持て囃されていることの間に、大きな矛盾を感じていはしないか。なまじ同じ名で呼ばれるだけ、不公平を通り越して、不可解なことに思われるかも知れない。

こうしたことは、信楽に限るわけではなく、大なり小なり、どこの産地でもあることだが、山間の僻地だけに、よけい刺戟は強いのではないかと思う。現に私自身、あわよくば古い壺の一つか二つ発見し、友達の鼻をあかしてやろうと、白状すれば半分は慾張り根性、半分は持前の好奇心から、見物しに来たにすぎないが、いずこも同じ秋の暮で、産地に美しい作なんて一つも残っていないのがふつうである。

信楽の場合、ことにその傾向が強い。私たちが好きなのは、鎌倉から室町、せいぜい桃山へかけての作品で、それらはここの農民が、日常の生活に用いた、種壺とか茶壺のたぐいだが、茶人の好みで注文される頃になると、意識が目立って、力のないものになってしまう。それにひきかえ、古い信楽は、自然発生的な、いわゆる民芸には違いないけれど、といって、今流行のげて物とは質を異にする。その差は微妙で、実際に物を見て知るより他ないが、何といっても、形がしっかりして、健康なところが魅力であり、たとえていえば古代の野武士の風格がある。実際にも、野武士に近いやからの手で造られたものだろう。それがはからずも、現代人の求めているものに合致したわけだが、美しいのは形だけではなく、千変万化を極めるその色合だ。ある時は、燃えあがる炎の色に、むらむらと、その上に鮮かな自然釉が流れ、またある時は、しぶい鈍色《にびいろ》が、山里の冬を思わせる。灰をかぶったのも面白いし、石はぜの荒々しさも捨てがたい。多少の出来不出来はあるにしても、どれ一つをとっても、見所があるのがこの焼きものの特徴で、だから一つ手に入れると、病みつきになる。

それがブームを巻き起したのも、近代的な生活に合うからで、大きな壺などは、茶室には使えないし、ふつうの日本間でもはみ出てしまう。だが、茶人がこれに目をつけたのは相当古く、紹鷗《しょうおう》しがらき、宗易しがらきなど有名だが、それらはせいぜい水指程度の大きさのもので、大壺は最近の発見なのである。

私はあえて「発見」という言葉を用いたが、古いものの中から生活に合ったものを見出すのは、利休以来の日本人の伝統である。現代は独創ばやりの世の中だが、現在を支えているのが過去ならば、先ず古く美しい形をつかまねば、新しいものが見える道理はない。こんな自明のことを皆忘れている。忘れているのではなく、ふり返るのが恐ろしいらしい。が、伝統をしょって生きて行く勇気のないものに、何で新しいものを生み出す力が与えられよう。人間は、牝鶏みたいに、気楽に卵を産みおとすわけに行かないのだ。

信楽の町

信楽は、土質といい、製作法といい、大物造りに適している。だから信楽焼といえば、人は狸と火鉢を連想する。実際、駅の付近へ行くと、ちょっとした壮観で、狸や火鉢だけではなく、オブジェの類はいうに及ばず、五重塔から観音様、ヴィーナスや小便小僧にいたるまで、足の踏み場もないくらい並んでいる。その雑然たる有様は、さながら現代日本の縮図だが、これほど多い商品の中に、一つもほしいものがないことも珍しい。私たちのよく知っている、信楽の焼きものと、信楽焼とはちがうのだ。

それにしても、どうしてこんな所まで堕落したのだろう。この異様な混乱は、決して農民の生活力といったものではない。迷っているのでもない。迷うとは、何かを求めるからこそ迷うのだろう。そういう健康なものは、ここにはない。私には次第に、狸やヴィーナスが薄気味わるいものに見えて来た。

一しょに行った陶芸家の八木一夫さんは、落ちる所まで落ちれば、その内何とかなりますよと、慰め顔にいって下さる。この混乱を、僕はむしろ痛快に思ってるんだ、それに、今さら古いものを真似て何になります、単なる模倣ではないか、と勢のいいことをいわれるが、ではヴィーナスや小便小僧は真似ではないというのだろうか。

学校の傍らに、陶器の試験場があって、平野氏という親切な場長さんがいられる。忙しい中を、何日もさいて、案内して下さったのもこの方だが、信楽全体の経済と生活をみる立場では、さぞかし御苦労も多いことだろう。

さすがに狸は需要がへったが、この頃は観賞用の植物がはやっているとかで、大きな植木鉢が海外にまで輸出されるという。大物を造る産地が少ないためだが、植木鉢ならヴィーナスよりまともで、私はいくらかほっとする。あの雑然とした商品の山は、きっと売れ残りが積んであったので、健全な仕事は、旅行者などの目にふれない所で行われているのかも知れない。それにしても、もっと利用されてもいい筈で、たとえば建築用のタイルなど向いていると思うが、この技術と伝統を生かしてくれる建築家やデザイナーは現われないものだろうか。

試験場の陳列棚には、紫香楽宮趾から発掘された瓦や、土師器以下、現代までの作品が並んでいる。礎石と同じように、瓦の唐草文も、天平時代としては、崩れており、又しても当時の狼狽ぶりが思い出される。

信楽には、いわゆる信楽以前の須恵器の窯跡もあり、近江一帯と同じく、ここにも帰化人がいて焼いたらしいが、私たちがいつも疑問に思うのは、ろくろも巧く、整然とした形の須恵器から、急転直下、農民の雑器にうつってしまう、その間のつながりがないことだ。このことは、常滑や備前あたりでも見られる現象だろうが、信楽の場合は特にいちじるしい。鳥でも、ある種の鳥類は、一夜にして全滅するというが、人間がそう簡単に変る筈はない、世の中に不思議なことは多いのである。

だが、つながりがないということが、一概に伝統を失ったことにはならない。伝統と伝承は、しばしばとり違えられている。たとえ姿は変っても、後に「信楽」が生れたことを思えば、陶器の伝統は立派に復活されたのだ。今はどちらかといえば、その反対で、技術は伝承されたが、伝統は失われたとみるべきであろう。が、これは焼きものの世界だけのことではない。

試験場にも、平野さんには悪いけれど、ろくな史料はなかった。ただ二、三心にとまったことを記しておくと、室町時代には、すり鉢が沢山作られたらしく、それらにはきまって四本ずつの細い線描きが入っていることだ。中に一つ、長禄二年（一四五八）銘のものがあり、南無阿弥陀仏と記してあるのは、お棺の蓋に用いたからだという。種壺でも、茶壺でも、そこらにあるものに骨を入れ、蓋にもふだん用いている鉢を利用したらしい。無頓着な生活ぶりが目に見えるようであるが、また日常の道具にも愛著を感じていたに違いない。

ここには、最近まで汽車弁に用いた茶碗やどびんも置いてある。これが中々傑作だ。この頃はビニールに変ってしまったが、ついこないだまで私たちも、こんな美しいものを使っていたのかと思うとなつかしい。

もう一つ、並んで益子風の大どびんがあり、例の山水画が描いてある。が、益子のものより丁寧に作ってあるので、場長さんにうかがうと、この手ははじめ信楽で焼いたのを、益子の人に教えたのだという。お株をとられたというわけか。

すり鉢を焼いた窯跡は、紫香楽の宮に近く、勅旨という所にあり、室町時代の破片がざくざく出る。私には、破片を拾う趣味はないが、この頃は行儀の悪い人達が多くて、シャベルまで持参で掘りに来る。そういう連中には、ここは見せないんです、と平野さんはいわれたが、土地の人々はさぞいやな気持がすることだろう。

五位の木、長野、槇山、神山など、窯跡は多く、小さいのまで入れると百五十もあるというが、将来もきりなく発見されるに違いない。いずれも土の採れる付近にあり、ここまで来ると、ほんとうに「陶郷」の感がある。

陶土は現在でもふんだんにあり、トラックで運びだしている所が多かった。たき物も、よその産地では、とっくの昔に石炭か重油に変っているのに、ここは未だ赤松を用いている所が多いようで、石炭時代を飛び越えて、次第に重油に変りつつあると聞いた。

採土場は、ふだんそういう研究に興味のない私には珍しい見ものであった。沙漠のような風景で、木節《きぶし》と名づける陶土が、一番上質の材料であるという。化石したような、黒い朽木のそばから出る土で、話には聞いていたが、見るのははじめてだ。といって、私などには、他の土と殆んど見わけはつかないが、自然の恵みがつづくかぎり、よくも悪くも信楽の焼きものの寿命がつきることはないだろう。生命さえあれば、希望を失うことはないのである。

伊賀への道

窯跡は、町はずれから、伊賀へかけて、点々とつづいて行く。

大体伊賀と信楽は、山一つを境にして、わかれているにすぎないので、私たちがふつうしがらきと呼んでいる焼きものの中には、伊賀での作も交っているらしい。天狗どもは、それでも何とか理窟をこねるが、みな一人合点のよしなし事である。いいかえれば、伊賀も信楽も、桃山以前の古いところでは、すべてしがらきと呼ばれている。信楽の方が有名で、一般に通用しやすいからである。

お茶の方で、「伊賀」と呼ぶ、あの旅枕や水指にしても、同じことが云える。それらは茶道が盛んになってから作られたもので、時代も性格も、前者とは異なるが、伊賀信楽と並び称される所から誤解が生じる。茶会記に現われるのも、信楽よりずっと後のことで、桃山以前の作は殆んどない。今もいったように、桃山以前の伊賀は、すべてしがらきの中に混入してしまっている。そこの所が、ややこしい。が、少し馴れた人なら、こんな説明はぬきにしても、直ちにその質の違いを見破るであろう。

正直いって、私は、「信楽」は好きだが、「伊賀」（桃山以後の花入れの類）は嫌いである。そんなことは、個人の趣味だから、気にかけることはないし、どんなものにも例外はある。が、一般的にいって、あの自然を真似ようと意識して、こねくり廻したいやらしさは、鼻持ちがならない。人は、「巌石の姿がある」とか、「谷川の音を聞くようだ」とか形容するが、すべて言葉に惑わされているにすぎない。「古伊賀花入は現今花入の王座を占むるようになったが、昔はそれほどもてはやされなかったらしい。古今名物類聚や、玩貨名物記には出ていない。また文化文政頃の売買価格の記録を見ても他の茶器と比較してあまり高価でない」と『信楽伊賀』の著者、大村正夫氏は記しているが、してみると、それが非常に高価になったのも、明治以降のことか。信楽の壺がいくら高いといっても、せいぜい伊賀の百分の一にすぎない。物の値段が、必ずしも物の美しさと一致しないのは、人間の世界も同じことであろう。

信楽の南に、多羅尾という村がある。ここは鎌倉以来、非常に勢力を持った多羅尾氏の領地で、今でもその代官屋敷のあとが残っている。祖先は、近衛家の一族で、政治に倦んだ初代家基が、この地に幽居して以来つづいた家柄だが、日本の文化はそうした地方の旧家によって、いつも裏から支えられて来たのである。

ここから伊賀へ越えることも出来るが、私たちはまた引返して、東の玉滝、槙山方面へ行ってみる。昔、東大寺領のあった所で、大仏殿の木材はこのあたりから切り出された。今は三重県に入っているが、信楽も、ここまでくると、木が多く、青々とした連山が美しい。

槙山から南へ下ると、丸柱という窯場へ出る。四方山でかこまれた静かな農村で、登り窯が盛んに煙を吐いている。関西ではゆきひらと呼んでいる土鍋が主な産物で、白い壁を背景に、整然と並んだお鍋の山は、それだけでも気持のいい眺めだが、内をのぞくと、一家こぞって製作に余念なく、生活は苦しくても幸福な空気が流れている。すぐ近くに、石川という村があり、石川五右衛門の生れた所だとか。とてもそんな風には見えない穏かな農村である。

丸柱のはずれから、峠へさしかかる。これを越えれば伊賀上野で、登りは大したことはないが、下りは急な坂道で、松の木越しにのめりそうな恰好で望む白鳳城は印象的である。

ついに芭蕉の故郷へ来た。観阿弥も、世阿弥も、ここで生れたという。それより近頃は忍術で有名だが、俳句と、お能と、忍術の間には、何やら関係がありそうな気がしないこともない。四方山でかこまれ、美しい自然の中に孤立した地形は、息をひそめて何事か念じるにふさわしい所のように見える。そういえば、伊賀の焼きものにも、忍者めいた所があって、さすがに暗い茶室の床の間では、ぴったりおさまって見えるのだが、世阿弥や芭蕉は、陰湿な世界から脱出して、都で花を咲かせた人達であった。

伊賀上野

伊賀上野の町は、駅からかなり離れた所にある。鉄道が敷かれたとき、町の人々が反対したからで、このことは、伊賀の性格をよく現わしている。が、万事につけて不便な為、城下町のよさを失っていないのは、私たちにとって有がたいことである。

城は町の中心の高台にあり、苔むした石垣が見事である。藤堂氏の名は、芭蕉と伊賀焼で知られているが、何といっても、ここでは芭蕉が王様だ。城内にも、新しい芭蕉記念館が建ち、文献が集まっているらしいが、私が行った時は夕方なのでしまっていた。近代的な建築は、誰が設計したのか、さっぱりしたデザインで、気持がいい。

芭蕉の生家を探すのはかなり手間どった。土地の連中は、そういうことに興味を持たないのが常である。私は、彼の生い立ちをよく知らないが、思ったよりもささやかな家で、父は手習いの師匠をしていたというから、あまり裕福な暮しではなかったのであろう。偉人の住居跡など、たずねる趣味を私はあまり持たないが、こうして来てみると、やはり一種の感慨が湧く。

古さとや臍《ほぞ》の緒に泣く年の暮

私の好きな句の一つだが、ここで作ったのかどうか知らない。が、さびれた家のたたずまいを見ると、どうしてもここでなくてはおさまらない気がして来る。

それより一般に知られているのは、蓑虫庵である。芭蕉の弟子、土芳の住居で、「みの虫の音を聞きに来よ草の庵」からとられた名前だが、うつくしく改装された庭からは、もう蓑虫の音は聞えては来ない。

「さまざまの事おもひ出す桜かな」も、「さまざま園」と名づけられては、おもい出す気力も失せる。今は個人の所有になっており、鉄格子の門のすき間から、わずかにのぞく庭の一隅には、しだれ桜らしいものがあり、その向うにひらける遠山の景色は美しい。ものを思い出すには、何と手間がかかることだ。多すぎる庭石とか、植木とか、鉄格子とか、芭蕉に近づくのは容易なことではない。

ここはもと、藤堂新七郎家の別荘で、芭蕉が世を捨てたのも、若き主君の夭折によると伝えられる。真の理由は知る由もないが、何年かの放浪の後、再びここへ帰りついたとき、旧主の遺子に奉ったのがこの句であるという。げに、さまざまの事が思い出されたのであろう。ここでも又、去り行く人より、残されたものの嘆きが思いやられる。

芭蕉に比べて、観阿弥や世阿弥の旧跡は皆無である。

つい先頃まで、田楽屋敷というのが残っていたというが、はたして関係があったかどうかわからない。何れにしても、観阿弥が伊賀小波多《おばた》の出であることは、「申楽談儀」

にあり、観世家にある翁面が、伊賀で発見されたことも併せて記してある。どのみち諸国を巡業して歩く流浪の芸人であったから、本質的には故郷を持たぬ人々であった。彼等にとって、「一所不住」というのは、仏教から習った思想ではない。

このあたりは、昔は伊勢への街道筋に当り、また吉野から名張を経て北上する要害の地でもあった。壬申の乱では、天武天皇が伊賀で兵を集めたりしている。ちなみに天智天皇の妃で、大友皇子を生んだ伊賀の采女《うねめ》も、ここの豪族の姫君で、白鳳以前から、中央との関係は深かったのである。

当時の繁栄は、出土品から想像する他ないが、そういう伝統がなかったら、芭蕉も世阿弥も生れることはなかったかも知れない。何はなくとも古い歴史を持つ地方には、一種密度の濃い空気がただよっているものだ。そう云えば、前に春日神社の「おんまつり」で、仕丁のおじいさんと友達になったが、その人も伊賀から奉仕に来たとかで、千年前からの氏子と聞いてびっくりしたことがある。

が、若い人達には、「伊賀越の仇討」とか、忍術の方に興味があろう。仇討が行われた鍵屋の辻は、上野市の西のはずれ、奈良へぬける街道の入口にあり、大きな松の木のかたわらに茶店がある。そこで荒木又右衛門と、渡辺数馬が、敵の一行を待ち受けたというが、いかにもチャンバラにふさわしい舞台で、少し出来すぎの感がなくもない。

忍術については、私より読者の方がくわしいかも知れない。が、聞きかじった所によると、忍術は伊賀や甲賀の専売ではなく、はじめは全国に行き渡っていたのが、やがてこの地方に限られるようになった。それには徳川の政策もあったらしいが、この地方に限った所が問題で、度々いうように、いかにも秘密の宗教や武芸が発達しそうな土地柄なのである。

同じ忍者といっても、それにはきびしい階級があって、大名級の上忍《じょうにん》から、すっぱと呼ばれる下忍まで、その組織は縦に横に複雑を極めた。上野の市中に、あきらかに武家屋敷とおぼしき門構えの家があり、ふと、中をのぞいてみると、「ここは忍術の家ではない」という意味のことが書いてある。この頃の忍術ブームに、へきえきしたに相違ないが、忍術者と間違えられることも、彼等にとっては、迷惑なことらしい。どっちへ転んでも、しょせん暗い渡世のハンパ者なのだ。芭蕉がみずから無用の者と観じたのと、忍びの者の間には、雲泥の思想の差があるが、ここの空気に接したものには、何とはっきりいうことは出来なくとも、無縁なものとは考えられない。伊賀の枕言葉を私は知らないが、初瀬よりはるかに「こもりく」の名にふさわしい。奈良へ向って帰る道々、私はしきりにそんなことを考えていた。

私は一人だった。八木さんも、藤川さんも、編集者も、もう少し写真がとりたいといって、上野に残して来たのである。山道は既に夕暗の色が濃く、はるか下の方に谷川の音が聞える。ここら辺では何川というのだろう、いずれにしても木津川の上流の渓谷にそって、いくつもいくつも峠を越えて行く。島ヶ原、月ヶ瀬口、笠置をすぎる頃には、日はとっぷりと暮れ、恭仁京趾へついて、はじめて一巡したことを知る。思えば長い旅路であった。実際には二、三日の旅行なのだが、この実感に比べたら、時間も距離も架空なものにすぎない。

と、思ったとたん、目の前が開けた。実に壮大な夕焼だ。木津川堤は、いつも好きな眺めだが、山奥から出て来たせいか、今日はことさら素晴らしい。日は既に生駒の肩に落ち、紅《くれない》の空高く、余光がのびて金色の光背をつくり出している。紫雲棚びく、という形容は、あれは単なる「形容詞」ではない。血は争えぬものだ、アクロポリスでも、ペルセポリスでも、夕焼はもっと華麗だが、大和の落日ほど心に沁みるものはない。

ふと、ふり返ると、今越えて来た山あいから、十五夜の月がのぼっている。もはや何もいうことはない。いえば陳腐に聞えるだけだろう。こういう風景は、昔から詩や歌に詠まれ、私も何度か見た覚えがあるが、ほんとうに見たのは今日が初めての気がする。が、美しい瞬間がすぎ去るのは早い。空は間もなくいつもの表情をとり戻し、月は中天へのぼって行った。

湖南の風景

先日、「旅」という雑誌を読んでいたら、水上勉氏が、湖北の風景を書いていた。水上さんらしく、暗い調子の文章で、さむざむとした琵琶湖の景色がよく描かれている。それにも心をひかれたが、今度の旅行は信楽が中心なので、私の足はしぜん湖水の南へ向く。

近江は、湖を中にして、南と北では、気候も風土も人情も、大そう違うようである。景色を見ただけでも、南は明るく、北は暗い。それを横目で見やりながら、名神国道を京都から栗東へ出、一時間足らずで、水口に着く。かつては栄えた東海道の城下町である。

ここから西へ入ると、峠を越して信楽へ行けることは前に書いたが、今日はこの辺で道草を喰うことにしよう。何故なら水口には、私の一番好きな芭蕉の句碑があるからだ。いや正確に云えば、句碑ではない、ここで次の句を作ったからである。

命二つの中に活たる桜かな

貞享二年（一六八五）、伊賀上野へ帰郷した芭蕉は、春を待って奈良から京を廻り、大津を経て水口の宿についた。一方、蓑虫庵の主、服部土芳は、その頃旅に出ていたが、国へ帰ってみると、芭蕉は既に立ったあとだ。で、とる物もとりあえず、師の後を追い、水口の宿で追いついた。(たぶん信楽越えの近道を来たのだろう)実に二十年ぶりの再会で、この句にはその時の喜びが謳われている。

喜びとだけいったのでは、浅薄にすぎよう。その裏には、「さまざまの」憶いがこめられていたに違いない。二十年の歳月の重さである。命の重さ、というべきかも知れない。形式は十七字でも、だからこの句には長調のひびきがある。

だが、何といおうと、このような句に、言葉を費やすのは無益であろう。ただ二人の間に、らんまんと咲いた花が見えれば、それで充分なのである。

土芳は、芭蕉の死後、この会見を夢にまで見た(蓑虫庵集)。感動したことなど、一つも記してはいないが、縹渺《ひようびよう》とした筆致の奥に、哀惜の情がにじむが如くよみとれる。人に語るべく、あまりに痛切な体験だったにちがいない。

水口から東北に当って、日野菜、日野椀などで有名な日野町がある。鴨長明も「日野の外山」に隠棲し、「方丈記」を記したと伝えられるが、「方丈」の庵の跡を今は知る由もない。

ここから、八日市へかけて、三彩や須恵器の窯跡があり、桜川という所には、白鳳時代の石塔が残っている。私が知る範囲では、もっとも古く、もっとも美しい石塔だが、今までたずねる機会がなかった。多少、便乗の嫌いがないではないが、読者にも知って頂きたいので、よってみることにする。

桜川につくと、道傍に、「阿育王《あしょか》の塔」と書いた道しるべが立っている。そこを曲って、山道を右に折れると、やがて石塔寺《いしどうじ》である。その名に背かず、そこらに小さな石仏がころがっているが、石段を、ふうふういいながら登りつめると、思わず息を呑むような美しい塔があらわれる。何万とある五輪の塔も石仏も、しばらくは目に入らぬくらいである。

形もいいが、色がたまらない。象牙色の台石に、紫がかったいい味の屋根が、これ以上のプロポーションは考えられないといった工合に、あたりの景色にしっくり調和している。やわらかく、そして力強い。上の九輪だけが後補らしいが、総体が美しいといささかの欠点などかくれてしまう。

朝鮮の慶州にも、これとそっくりの塔があると聞いたが、見た人の話によると、似ているだけで、やはりこの姿は日本のものであるという。近江平野は、古くから朝鮮の移民が住んだ所で、特にこの辺は百済が滅びたとき、王子や貴族が亡命したと聞いている。私の記憶は、至ってあやふやだが、この塔が何よりもいい証拠であろう。日本の文化の源流は朝鮮にある。帰化人達が望郷の念やみがたく、自分の国の美術と同じものを造ろうとして、風土や材料の関係から、おのずから異質のものをつくり出してしまった。その差はわずかでも、わずかの相違はかくすべくもない。逆にいえば、似ているからこそ出来たことなので、あいの子文化とは違うのだ。もはや朝鮮のものではない、あきらかにこれは日本の美の目ざめである。

一天雲もない青空であった。むらがる石塔をふまえて立つ姿には、さながら王者の気品がある。これら名もない石仏達も、美しい姿を慕って、自然にここへ集ったものだろう。京都の念仏寺や、石塔寺(この方はセキトウジと読む。同名異寺である)でも、このような風景を気味わるがる人もいるが、むしろ洗いざらされた感じの、爽やかな眺めである。

寺は小松林の丘にあり、思いなしか、松吹く風の音も日本調ではない。住職も、こんな所では手持無沙汰なのだろう、人なつかしげに話しかけて来る。

案内書みたいなものはないか、聞いてみると、室町時代の版木があるが、来る人も稀なので刷ってはない。お望みなら、後から送りましょう、といって下さる。私が帰京した後、その約束は果たされたが、寺伝によると、この塔は、月氏国の阿育王が、釈迦入滅の後に宝塔を造り、仏舎利をおさめて諸国へ配った、その一つが、日本にも飛んで来て、この地に落ちついたというのである。さればこそ「阿育王山石塔寺」と名づけられたが、実にのんびりしたいい話だと思う。この石塔が忘れられず、私はその後何度かこの寺を訪ねている。

そこから裏山越しに、私たちは百済寺《ひやくさいじ》へ向った。新しい、いい道で、赤松の間を縫う快適なドライブだ。

百済寺は、八日市の東、愛知《えち》郡の山ぞいにあり、この寺を選んだのは、別に目的があったからである。というのは、最近ここの鎌倉時代の塔趾から、信楽の壺が発見された。ところで、信楽の時代というのは、いい加減なもので、単なる感じから、鎌倉とか室町とかいっているにすぎない。もともと雑器のことだから、無理もない話だが、年代が入っている例は稀にしかない。それも当てにならないと、云ってしまえばそれまでだし、究極のことを云えば、ものを見る上に、直感以外に頼れるものはないわけだが、ともかくも、鎌倉の塔から出たというだけで、この場合、多少の手がかりにはなる。

百済寺は、推古朝の創建で、その名がしめすとおり、百済の帰化人達の為に、聖徳太子が建立され、平安朝から鎌倉時代へかけては、三百の坊、三千の衆徒を擁した名刹であった。が、今は殆んど廃寺に近い。山門に立つと、さすがに幽邃《ゆうすい》の気が流れ、すくすくのびた大木が、昔の隆盛をしのばせる。山にそって、無理な地形に建てられた為か、ずい分細長い寺で、急な坂道を登って行くと、学校みたいな建物があったので、聞いてみるとそこが本堂であった。

用件をいうと、すぐ壺を見せて下さる。こういうお寺は、簡単でいい。期待した信楽は、ふつううずくまると呼んでいるあの型で、真赤に焼けた上に、自然釉がぶちまけたように流れ、おまけに灰かぶりのあともあるという、変化にとんだ逸品である。

八木さんは、土をひねるような手つきでいじりながら、「下手くそだなあ」としきりに感心している。画家が絵を見るときも、よくこのような目つきをするが、もう一度自分で造り直すような見方をする所が面白いと思う。下手くそだというのは、むろん彼独特の逆説で、現代の陶芸家には、真似のできない下手さかげんが、羨しくも辛いところなのだろう。口づくりも、しっかりしているし、ねじれた形も面白い。正に、「平家物語」の世界である。それも平家の公達《きんだち》ではなく、源氏の、荒武者の風貌だ。

これが出た塔の跡も、金堂の跡も、はるか上の方にあるという。とてもそこまで登る気はないが、最近、林道の工事をしていて、毎日のように墓跡から壺が出る。今も出ましたが、ごらんになりますかと、住職がいわれるので、庫裏の裏手へ廻ると、常滑から信楽、備前の壺に至るまで、まだ土の香も新しく、骨まで入ってころがっている。さすがの私も、これには毒気をぬかれたが、世の中に壺は沢山あっても、やはりいい壺は少ないということがよくわかった。

ここからの眺めは美しい。

「聖徳太子が、あの右手に見えるカワラケ山から、此方の方をごらんになって、寺の位置をおきめになったのです」

と、坊さんは見て来たようなことをいう。が、そういわれても、仕方がない程の絶景で、遠くに霞む湖から、先程通った石塔寺の丘へかけて、幾重にも畳なわる山また山のかなたに、ひときわ高く比叡山が望める。比叡は、いつどこから眺めてもそれとわかる所が名山だ。

そして、白く光りながら流れて行く幾筋もの川。今、眼下にひろがる平野こそ、かつて天智天皇が御狩をされた蒲生野だ。ここに来てはじめて私は、「あかねさす紫野」の意味をさとった。湖水からたちのぼる水蒸気に、しっとりぬれたこの平野は、折からの夕日を一杯にあびて、薫るがごとき紫にけむっている。もしかすると、額田王は、休みがてらにこの寺に立ちより、薬狩に余念ない人々の中に、愛人の姿をみとめて、遠くからあの歌をうたいかけたのではないだろうか。どうもそこには、ある距離が必要なように思われる。少なくとも、そう信じたくなるものが、この景色の中にはある。それははるばると、万葉の遠つ国へ私をいざなうようであった。

淡海《あふみ》の海夕浪千鳥汝《な》が鳴けば心も偲《しぬ》に古へおもほゆ

心もしぬに古へおもほゆ。これは人麿だけの嘆きではない。近江のみかどへの挽歌でもない。私たちが生きて行くかぎり、くり返し、偲ばねばならぬ悲しみであろう。

（『日本のやきもの7　信楽伊賀』淡交新社、一九六四年）

骨董夜話

狂言面　乙

十年近く前のことである。不言堂の坂本五郎さんがとびこんで来て、室町時代の面を手に入れたが見てくれないかという。それがこの面であった。私は、よく見もせずに二つ返事で買った。骨董を買うとき、あれやこれや考えるようでは、買わない方がましなのだ。時々値段も聞かないで、失敗することがあるけれども、さいわいこれは思いの外に安かった。こんな地味な見栄えもせぬものを、買う人は少ないからでもあろう。

乙《おと》というのは、乙姫（又は弟姫）のオトで、若い女を現わし、能面に対する「次の面」の意味もあると思う。周知のとおり、お能は真面目だが、狂言は喜劇である。その中でも、乙は滑稽な、醜女の役に用いる。後世のおかめ、お多福の前身で、いってみれば、醜いもの、おかしなもの、いやしいものの表徴であり、貴族に対する庶民の顔でもある。

後世の作は、その醜悪な面のみ強調され、ほんとうにみにくくなってしまうが、この乙は実に堂々としている。彩色こそ落剝しているものの、彫刻は強く、しっかりしており、見ていると豊かな気分になって来る。世の中には、ちっともきれいではないが、愛敬があって、生き生きした人間がいるものだが、そういう女性に似ていると思う。私が真に美しいと思うのは、そういう物であり、人である。

能の前身、猿楽は、滑稽な物真似から発達したから、幽玄な能面より、形としては古いであろう。おそらく乙の原型は、天岩戸《あまのいわと》の前で、八百万《やおよろず》の神々を爆笑させた天鈿女《あめのうずめの》命《みこと》にあり、神代の物語が芸能化されていくうち、笑いの要素はお能の狂言にひきつがれていった。もしかすると、これは狂言面ではなく、神楽か何かに使われたもう一つ古い時代の作かも知れない。室町時代の面は、もう少し大きくて、重いのがふつうである。

このようなものをゆずってくれたことに対して、私はいつも坂本さんに感謝している。この人は風変わりな骨董屋さんで、彼の話によると、はじめは八王子のあたりで乾物屋をしていた。ある日、骨董が高く売れたのを見、忽然と悟るところがあり、骨董屋に転業した。いくら乾物でも古くなると駄目になるが、骨董は古くなればなる程高くなる、こんな有難いものはない、と思ったという。むろん、何の知識もなく、教えてくれる人もなかった。が、見様見真似でやっている中に、いつの間にか日本橋に店を持つようになり、あれよあれよという間に大きなビルが建った。先日は博物館に、中国銅器のコレクションを寄付したそうである。

骨董の世界は、いうまでもなく大変むつかしい所で、ちょっとやそっとで素人がわりこめるものではない。坂本さんは、よほどの努力と辛酸をなめたに違いない。いじめられることも多かったであろう。が、彼はみずから「オテンテン」と称し、道化を演ずることに終始した。オテンテンどころか、これ程利口で、ぬけ目のない男はいないのである。小さな身体にあふれるようなエネルギイを持ち、することなすこと人の意表をつく。

ひと言も英語がしゃべれないのに、よく外国へも買い出しに行く。手真似で話をすすめ、わからないふりをして(ほんとにわからないのだから都合がいい)、現金を押しつけて、安く買う。その現金も、「ちょっと失礼」と、腹巻の中から出すのだから、相手はあきれている中にちょろまかされてしまう。税関なんかは、「ノウ、ノウ」の一点ばりで、すりぬける、といった調子で、少々えげつない所もないではないが、誰にもにくまれないのは人柄の致すところであろう。

はじめて外国へ行った時は、ナポレオンの帽子と称するものを買って来た。それをかぶって、梅原龍三郎氏をたずね、いきなり、肖像画を描いてくれ、と注文した。むろん先生は引きうけはしなかったが、以来「おかしな男」として可愛がられるようになった。汽車の中で、骨董を私に売りつけたのも、この人がはじめてで、そのはしっこさは無類である。鑑識眼のほどは、私みたいな素人にはわかりかねるが、カンのよさにかけては天才的な人物といえよう。私がいつも面白いと思うのは、骨董屋さんほど自分の個性を生かしている人たちはいない。五郎さんは、いつまで経っても乾物屋だが、そこの所が魅力でもある。第一庶民的で親しみやすい。かつぶしを見分ける眼が、狂言面の美しさをとらえたのだ。私は冗談をいっているのではない。かつぶしの味もわからぬ人に、物が見える道理はないと思っているのである。

茶碗　天啓赤絵

中国の宋にはじまる赤絵は、明の万暦（十六世紀）で頂点に達し、それから後はおとろえて行く。が、末期的なものには、最盛期とはまた別な、頽廃的な魅力があり、日本人の心を強くとらえた。兼好法師が「徒然草」のなかで、「花は盛りに、月はくまなきをのみ見るものかは」といみじくもいった、あの崩れたものの美しさである。ちょうど桃山末から徳川初期へかけてのことで、天啓の染めつけや赤絵は盛んに輸入され、此方から注文したと思われるものも多い。

この茶碗もその一つであろう。線だけの文様を「むぎわら手」というが、これはその変わり種で、はでな彩色をほどこしているにかかわらず、少しも煩瑣な感じはなく、むしろ爽やかな印象を与える。磁器であるのに、柔かい陶器の感触があるのは、焼きが甘いからで、宣徳や万暦の一級品と比べたら、美しくてもしがない田舎娘にすぎぬ。いくら味っぽい焼きものが好きな茶人でも、天啓赤絵は硬質の磁器という観念があるから、一べつも与えないにきまっている。だから私なぞの手にも入るので、いってみれば出来損いの美しさであり、偶然が生んだ傑作である。

未完成の美というが、未熟や出来損いを狙ったものは醜い。そこだけに美を求めるのも、ひねくれた趣味である。ここにはそういう不健康なものは一つもない。一生懸命きれいな器を作ろうとし、火の加減でとろけてしまった、はたして硬く焼けたとしても、これほど美しく出来上がったかどうか。

十五年ほど前、秦秀雄さんからゆずって貰った。周知のとおり彼は、井伏鱒二氏の『珍品堂主人』のモデルになった人で、珍品を見いだすだけでなく、彼自身珍品である。別にそういったものを目指しているわけではない。人が見のがしたものの中に、安くて美しいものを発見する、落穂拾いの名人だ。世間一般の常識的な鑑賞ではなく、非常に個性的な物の見かたをする。しぜん面白いものが集まって来るわけだが、時にはまったく他人に通用しない「珍品」に惚れこみ、長々とおのろけを聞かされることもある。

いつかは鎌倉時代の根来《ねごろ》の盆を買って来た。たしかに時代はあるに違いないが、荒れはてていて、すだれのようなすき間があり、根来とは名ばかりである。だが、秦さんは夢中になっていた。「裏を見てごらんなさい、建長元年と書いてあるでしょう」だが、かすかに朱色が残っているだけで、建とも長とも読めはしない。好きなあまりの執念が、ありもしない字まで読ませてしまうのだ。そういう所が、まことに面白い。大体、ものに惚れこまないような人に、骨董はわからないもので、それは欠点というより、むしろ美点と呼ぶべきであろう。贋物をつかむことも、あえて辞さない。贋物も買う勇気がない奴に、何で骨董がわかるか、という気概を持っている。真贋の問題は、とても奥深いのでここではふれないが、それは悪女にひっかかるようなもので、悪女ほど女の正体がつかめるものはない、そう彼はいいたいのかも知れない。

とかくそういう人は誤解を受けやすく、秦さんもとかくの風評の多い人物だが、私みたいなぽっと出が、長い間つきあえるのも、しんは善人だからに違いない。そういったら、彼はがっかりするだろう。彼は自ら悪人をもって任じ、親鸞上人に帰依しているが、私に関するかぎり、いつも親切なおじさんだった。特に近頃は、年をとったせいもあって、秦さんには申しわけないけれども好々爺じみて来た。もっとも、人間は複雑怪奇なものだから、他の人がどう思うか、それは私の知ったことではない。少なくとも私は、こんな友達を持って、珍品を授けてくれるのを、有難いことに思っている。

私は美術品が、夢にもわかるとは思っていないが、自分が好きなものだけは、はっきりしている。それを知るために、何十年もかかったといっていい。客観的に鑑賞するすべも、心得ていないわけではないが、それは別の世界の出来事で、どんなに立派な国宝でも、自分の性に合わなければ、単に「結構なもの」として頭のどこかで認識するにすぎない。世の中には、「結構な人間」も大勢いて、尊敬はするが親しみが持てないのと一般である。それだけを知るために、何十年もかかったとは、何という愚かなことか。だが、骨董とは、そういうものであるらしい。

骨董屋はよく物を買うのは真剣勝負だというが、場所が違うだけで、素人にとってもそれは同じことだろう。もしこの茶碗がいけなければ、私が駄目だということだ。うっかり編集者さんの口車に乗せられて、こんな連載を引受けてしまったことを、私は後悔している。それは裸の自分を見ることに他ならず、恐ろしくもあり、恥ずかしくもある。

螺鈿　煙硝入

京都の伏見に、相原知佑さんという骨董屋さんがいる。仏教美術が専門だが、一般より玄人仲間で知られており、京都の町を歩いていると、必ずどこかの骨董屋さんで出会う。商売より、物をあさるのが好きなようで、歩くのが彼の健康法であるらしい。そのせいか、八十すぎてもなおかくしゃくとしている。

何しろ長い経験と、たくさん物を見ているので、話が面白い。ちと面白すぎて、話に酔うような所もあるが、それも骨董が好きなればこそである。この世界では、冷静無比な人間は、商売はうまいかも知れないが、扱うものも、人も、ちっとも魅力がない。骨董自身が人間的なものだから、時にははめをはずすくらいでないと、面白いものは手に入らないのである。

相原さんは関東の生まれで、若い頃は貿易商をやっていたが、美術品が好きなあまり、転業したという変わり種で、暮らしぶりもふつうの商売人とはちょっと違う。伏見の家はさして大きくはないが、茶室風のしゃれた住居で、いろりを切った座敷で応対してくれる。苔の庭には、古墳の家形石を置き、春は白玉椿が散るに任せている。鮮かな苔の緑の上に、真白な花びらがこぼれている景色は、何ともいえぬ風情がある。

そういう座敷で、いい味の経机の上に、白い紙をしき、おもむろに骨董を取り出して見せるのだから、たいていのものがよく見えてしまう。大喜びで買って、家へ帰ってがっかりしたことが何度もある。当人は、別に演出のつもりはないらしいが、自分がほれこんでいるために、涎が出そうな説明つきなので、ついだまされる。贋物をつかますのと違って、まったく悪意がないのだから始末に悪い。

それで相原さんを恨むのは、逆恨みというもので、自分も結構たのしんだのだから、文句のいえた筋合ではない。骨董は買ってみなければわからないという。が、これには二重の意味があって、博物館や展覧会のガラス越しに、いくら眺めても、知識を得ても、身につく筈はないのであるが、「買うこと」自体に、スリルと楽しみがあるのも事実である。

小林秀雄さんは若い頃、お金もないのに高い骨董を買って、よく汽車の中へ置き忘れた。骨董とはそういうものであり、それでいいのである。時にはつまらないものを、ふっと買ってしまってうんざりすることもあるが、だからといって、すぐ返したりしては、いつまでたっても身につかない。これは忘れたり、なくしたりするのとはわけが違う。

そういうことを、商売人は「しょんべん」と呼んでいるが、真をうがった言葉だと思う。縁あって手に入ったものは、たとえ少時の間でもつきあってみるべきで、直ちに「解放」したのでは、気が楽になるだけである。くやんだり、怒ったり、嬉しがったり、羨ましがったりする中に、しぜん眼は肥えて行く。白玉椿や経机の舞台の装置にもだまされなくなる。

ここに掲げた煙硝入は、嬉しかったものの一つで、相原さんからゆずって貰った。彼は絵を描くことも上手で、気に入ったものは、必ず克明に写生をする。ある時、伏見の家で、画帖をめくっていると、この煙硝入が目に止まった。

「どこにあるの」と聞くと、先日瀬津が持って帰ったという。瀬津さんは、日本橋で店を開いている一流の美術商で、相原さんの客は、そういう人たちが多いのである。「聞いてごらんなさい、きっとまだ持っている。こんなもの、売る筈ないんだから」ということで、私は帰京すると直ちに日本橋へ飛んで行った。

瀬津さんは、二、三年前に亡くなったが、まだその頃は健在で、私の顔を見ると、「一体、今日は何がほしいんです」と聞く。きっと目の色が変わっていたのだろう。実はこれこれというと、「あんなものに目をつけたんですか。しょむない、しょむない」といいながら、ほんとに仕様がない奴という顔をして、翌日家から店へ持って来てくれた。こんなものは、売ってもお金にならないし、さりとて捨てがたい味があるので、自分の楽しみにとっておいたのだという。

煙硝入は、火薬を入れた容器で、日本にはじめて鉄砲が輸入された頃、戦国武将が使ったものである。うすい木をくった上に、漆をぬり、螺鈿で梯子の文様を入れ、横に「口薬」とある。口と、紐をつける鉤には、象牙を用い、丁寧に作っているのは、雑兵のものではあるまい。形が近東や朝鮮の扁壺に似ているのも、当時の舶来好みを示している。何といっても、卓抜した意匠と、漆の味のいいことが魅力で、少しすれているのは、何度も戦場を往来したものに違いない。殺伐な道具にも、優雅な意匠をほどこすのが、日本の武士のたしなみであった。

大鉢　むさし野

魯山人については、度々書いたことがあるが、何度でもくり返しいえるのは、近代においで、あれ程上手で、趣味のいい作家は少ない、ということだ。陶器はもとより、絵画、篆刻、書、漆器に至るまで、思う存分腕をふるった。

生前は、とかく欠点の多い人物で、世間の評判もけっしていいとはいえなかった。坊主憎けりゃ、のたとえどおり、そのために作品を認めなかった人たちも多い。あれ程陶器がよくわかる柳宗悦氏ですら、魯山人のものには臭気がある、といって嫌われたが、おおむねそれは人間の方から来る臭気であった。

よく骨太な手を前につき出して、「そもそも芸術とは……」と、大演説をぶった。無邪気といえば無邪気だが、黙って物を作っていればいいのに、と何度思ったかわからない。欲ばりで、はったり屋で、傲慢無礼で、あげれば切りがない程だが、自ら放つ臭気に、一番へきえきしたのは当人であったかも知れない。思うに彼は、見たとことは正反対な小心者で、自信がなく、自分が思っている程世間が認めてくれないことに、常に不満を感じ、苛立っていたに違いない。それがあのような形に爆発したので、魯山人ほどの作家なら、「今に見ておれ」と、死後を信じても一向さしつかえなかった筈である。「死んでしまった人間というものは大したものだ。何故、ああはっきりとしっかりとして来るんだろう」

これは小林秀雄さんの『無常という事』の中にある言葉だが、魯山人についてもいえることである。生ま身の人間から解放された作品は、彼の死とともに美しさを増し、自由に世間を闊歩しはじめた。さぞせいせいしたことだろう。作家にとって、作品が一人歩きする程名誉なことはなく、もはや「芸術、芸術」と人に押しつける要もなくなって、彼は安らかに眠ったに違いない。そういう意味では、やはり優れた芸術家の一人で、幸福な人間であったといえる。

ここにあげたのは、そのせいせいした作品の一つで、「むさし野」と名づける。平安朝以来、しきりに歌によまれ、絵に描かれたむさし野の風景で、秋草の中から銀泥の月が昇っている。月の半分は鉢の内側にかくれ、淡い色彩は夕霧のようだし、たっぷりしたすがたも満月を思わせる。染付の部分は、線彫りにし、すすきを白く浮き出させ、それが終わる境目の所から、鉄砂を用いて穂を描いているのも、心にくい趣向である。何より見事なのは、使い古されたむさし野という主題を、自分の物として表現していることで、近頃は「伝統を生かす」ということが簡単にいわれるけれど、このように生かした芸術家は至って少ないのである。

私がはじめて知った頃の魯山人は、陶土をこねる職人や、ろくろ師を使い、だいたいの形が出来上るまで自分では手を下さなかった。だからどれ程技術があったのか、私にはわからない。が、ろくろで仕上げた生地に、魯山人がちょっと手をふれるだけで、見違えるように美しくなり、絵つけをするとまるで別物になった。それは手品を見るように面白く、鮮かだった。下地を作らないために、魯山人はほんとうの陶芸家ではない、という人もいたが、私はそうは思わない。工芸というものは、分業でいいと思うし、全体にわたってよく物が見え、総合的にまとめるプロデューサーを必要とするからだ。利休も、光悦も、そういう人たちであった。彼らに魯山人を比すわけではないが、現代にもっとも欠けているのは、そういう人物で、その意味でも彼が果たした功績は大きいと思う。

窯をあける時には、必ず知らせてくれ、ふだんはけちなじいさんが、まだ熱気の残る焼きものをたくさんくれた。私はそういうものをふだん使いにしており、魯山人の陶器は、ただで貰うものときめていたが、死んでしまってあわてて買いだした。この頃は日に日に高くなるので、そう自由には買えない。ただでせしめるという根性が、私をめくらにしていたのだ。

それでも生きている作家のよりまだはるかに安い。新しい陶器の値段は、新画と同じことで、新作だけが持てはやされる。それは商売人や画商にあやつられた、いわば架空の値段であり、実質をともなってはいない。これは売ってみれば、すぐわかることで、よくても半値くらいにしか売れないだろう。そこへ行くと、魯山人の作品は、実に「はっきりとしっかりとしている」。値段もそうだし、ひと目で魯山人とわかる。骨董は、いってみれば古典文学と同じもので、美しい物だけが、長い間の風雪に耐えて生き残るのである。

絞り　十字文

うすい地の平絹に、紅で、十字文がしぼってある。非常にこまかくしぼってあるので、一見、型で染めたように見える。切支丹の十字架か、もしそうだとすれば、天草四郎が使った旗かも知れないなどと、勝手な夢を描いていたが、後に関ヶ原合戦の屛風を見て、島津の旗さし物に、まったく同じ十字の紋がついていることを知った。

周知のとおり、島津家の紋所は、「丸に十の字」であるが、桃山時代にはまだ丸はなく、十字だけだったらしい。それが切支丹から出たものかどうか、私は知らないが、フランシスコ・ザビエルも薩摩に上陸したと聞くから、あるいはその頃出来たものかも知れない。何れにしても、紋というものがはっきりきまったのは徳川時代に入ってからのことで、はじめは戦場で使う旗印にすぎなかった。絵で見たところでは、白い木綿に、墨で書いたものらしく、勢いのある筆法が、この絞りによく似ていた。天草四郎でないのは残念だが、島津家の紋であったことは、ほぼ間違いがないと思う。

旗や幕はおおむね厚い木綿か麻なので、柔らかい絹を用いたのは、家の中で使ったのか、それとも胴服か小袖の断片であるかも知れない。何だかわからない所も、こういうものの魅力の一つであり、毎日眺めながらあれこれ想像してみることは楽しい。

何といっても感心するのは、しっかりした筆力を、そのまま絞りで現わしていることで、これは容易にできる仕事ではない。当時はまだ使いやすい糊が発明されていなかったため、止むを得ず手のかかる絞りによったのだが、糊を用いたら、こんな力づよい線は出なかったであろう。有名な「辻が花染め」も同じ手法によったもので、これも広義な意味の「辻が花」の中に入る。

形も美しいが、色もいい。紅は、紅花からとる植物染料で、黄味をふくんでおり、これを、専門用語では「黄気《きけ》」という。それをとり去って、純粋な紅色を出すのに、昔は梅酢を用いたと聞く。方々に古い梅林が残っているのはそのためで、何も梅干を作るだけが目的であったわけではない。

絞りは、御承知のように、輪郭を縫って染料につけるので、色がにじむのがふつうである。それが絞りに特有な、柔らかい味わいを出すのだが、この場合はにじむのが主眼ではなく、かっちり染めあげる必要があった。だから目に見えぬ程こまかく絞ってあり、このようにこまかく縫えるのは、生地がいいからである。染めものの裏にはいい染料が、美しい色の奥にはいい生地が、そしてその生地を造るのは糸であり、糸は蚕からとる。一つの染めものの背後には、どれ程多くの人間の愛情と努力がかくされていることか。だが、近頃はそういうことははやらない。なるべく手っとり早く、大量に、というのが現代人の生き方で、そういう人々にとって、昔の手仕事は、さぞまだるっこく、愚かなものに見えることだろう。が、美しいものは、その愚かな所から生まれるのであって、インスタントで成功したためしはない。生地一つをとってみても、こんなにしなやかで、薄くて、光沢のある絹は、残念なことに今は出来ない。絹糸が、大量生産の平凡なものになったからだが、といって、一概に悪くなったわけではない。むしろ品質が上等になりすぎて、面白い味わいをなくした。不便と不自由が美しい絞りを造ったように。そういうことを考えると、いったい進歩とは何なのだろう、と疑いたくなる。

私はこの絞りを額に入れて、居間にかけているので、訪ねて来る人はみな目をつける。クリスチャンの友達は、私にはもったいないといってねだり、染物屋さんは参考品にほしいといい、骨董屋さんは法外な値段をつける。が、私は安く買っているのだし、高く売りつける気はさらにない。いや、安くも高くもぜんぜん手放す気にはなれないのである。私はそういうものをいくつか持っており、一生の中でそのような友にめぐり合えたことは、実に幸福なことではないかと思っている。

高いお金を出せば、必ずそれだけのものは買える。そういう点で、骨董界はきわめて正直なところである。それほどお金がないために、安い所で我慢しているが、掘出し物にはまったく興味がない。欲に目がくらんで、贋物をつかむことが多いからである。そんなものを狙うより、好きなものを買うことだ。買って、つきあってみることだ。それがおのずから掘出しになれば、こんな仕合せなことはない。ほんとうの「掘出し物」とは、物に即して、自分の眼を、心を、掘り出すことではないか、この頃私はそう思うようになった。

書見台　蝶

重い本は、手に持って読むと疲れる。机の上においても、角度が工合悪い。そんな時、私はこの書見台を使う。もともと軽い書物をおくためのものだが、部厚な本でもしっかりと支えてくれるし、目の位置もよく考えて作ってある。

桃山時代に南蛮船が入った頃、スペインかポルトガルのものを真似して作ったのであろう。何となく外国の香りがする。にもかかわらず、あきらかに日本のものである所が面白い。鉄の味には、その頃の刀の鐔《つば》や茶の釜に似た深い美しさがあり、たっぷりした蝶の形も、桃山時代の縫箔とか、蒔絵の文様に共通する。下の柄と台の所に渦巻様の触角みたいなものをあしらっているが、これは外国の鉄製品によくある装飾で、私はそこから逆に日本人が、蝶を連想したのではないかと思う。はじめは漆が塗ってあったらしく、その痕跡が所々に残っている。

京都の星野武雄さんという友人から、ずい分前にゆずって貰った。この前あげた十字の絞りもそうで、彼は骨董屋さんではないけれども、面白いものを見つける名人だ。生粋の江戸っ子なので、今の東京には住みにくくて、京都にひっこんだのではないかと思う。市井の隠者といった風格がある。若い頃から美術品が好きで、小学校の時分に買いはじめたという。つきあいは広く、白樺派の先生方から画家や工芸家に至るまで広範囲にわたるが、なまけ者なので、友達が行かないとひと月もふた月も外出しない。こたつの中にうずくまって、昼は寝てすごし、夜になると起きて道具いじりをする。穿鑿好きな近所のおばあさんが、明け方寝る前にお風呂へ入るのを知って、「お宅の御主人はずい分早起きですね」と感心したという話もある。

庭に一本の大きな桜の木があるが、花は一度も見たことがなく、散るのを眺めて、咲いたことを知るという、「徒然草」にでもあるような生活ぶりである。それでお酒は一滴も飲まない。友達といえば、飲んだくればかりで（近頃はみな年とって昔程ではないが）、よく我慢してつきあえたものだと思う。ひと度知り合ったら徹底的に親切で、彼ほど友達甲斐のある人間はいない。私は今から十五年ほど前、小林秀雄さんに紹介されたが、ひと目見てすぐわかった。といっても、信用できるとわかっただけで、人生を見つくしたような、その表情の奥に入りこめたわけではない。だが、人とつきあうには、そんな所まで知る必要はないと私は思っている。何しろひまがあるので、芸術一般について、広い知識があり、鑑識眼もある。聞けば何でも知っている生き字引みたいな人間で、文章もうまいのに、自分ではけっして発表したり、書いたりはしない。何もしないでいることに、人生を賭けたように見える。人はいい御身分というかも知れないが、これはなかなか出来ることではない。殊に現代ではよほどの意志を必要とする。江戸っ子の粋《いき》と伊達も、ここに窮まったというべきか。私には故郷を失った星野さんが、京都のせまい路地の奥で、ひっそりと暮らしているのを見る度に、彼はよほどの洒落者ではないかと思う。

実際彼はお洒落でもある。りゅうとした結城の蚊がすりに、紺足袋をはいた姿は、先代羽左衛門をほうふつとさせる。が、一分のすきもないということは、男のお洒落ではないということも、よく承知している伊達男だ。私はボードレールがいった言葉を思い出す。今その本がみつからないので、はっきりしたことはいえないが、たしかダンディということについて、「輝やけば輝やけるのだが、輝やくことを欲しない、洞見される潜める火ともいえよう」という言葉である。まさに星野さんはそういう人物で、ひと口にいえば都会人なのだ。世の中のすべてが専門化され、細分化される時代に、一介のディレッタントであることに誇りを持ち、何物にもとらわれぬ閑人の自由を楽しんでいる。閑にあかせて面白いものを見つけるので、私たちには得がたい友人だが、それは現代社会に対する一種の抵抗ともいえよう。日本の文化は、今までそういう人たちによって築かれて来た。歌道も茶道も書道も、その他もろもろの芸術・芸能も、教養ある素人の生活の中から生まれた。あまりに専門化された知識は、井の中の蛙で、物を大局的に、総合的に、つかむことが出来ない。たとえば縄文土器の研究家は、弥生土器の美しさを知らないし、知らないことを恥とするどころか、当然なこととしてうそぶいている。これは教養とも文化とも呼べないであろう。一方、誰でも旗さえあげれば、わけなく玄人になれるし、専門家として認められるのが現代の風潮だ。星野さんが心の底から軽蔑し、徒手空拳で抵抗しているのはそういう世界だと思う。

(『太陽』一九七〇年八月号〜一九七一年一月号)

たたけば音の出るような実在感

　ある時、銀座の吉井画廊で、セザンヌの静物画を見た。吉井さんはパリから帰ったところで、こんな絵が手に入ったのですがと、いとも無造作に出してくれたのである。とたんに私は顔色が変った（と思う）。感動したなんてものではなく、ショックを受けたのだった。わずか三号ぐらいの小品だが、そこには正しくある充実したものがあった。それは「存在している」としかいいようのない確かさで、私の心身をつらぬき、何が描いてあったか覚えてもいない。今、写真を見て、梨とレモンであることを知ったが、そんなことはどうでもいいような気がする。

　私はセザンヌが好きで、何もかもわかったように思っていたが、実は少しもわかっていなかったことを、この絵を見て痛感した。今までに見た「サント・ヴィクトアール山」や、「水浴」や、「ヴァリエの肖像」などが、まるではじめて出会ったもののように、生き生きと目前によみがえる。それらの傑作は、このささやかな静物画と、本質的には何の違いもありはしないのだ。セザンヌが絵を描くために、モチーフを捜して歩いたことはよく知られている。ある人が、それについて尋ねると、セザンヌは両手を左右に広げてみせ、それを静かに近づけて、一本一本の指をしっかりと組んで握りしめ、「こういう風にモチーフを捕まえる。少しでもすき間ができたり、ゆるんだりすると、逃げだしてしまう」と答えたという。

モチーフには、主題とか動機という意味があるが、絵になる風景、つまり画題やモデルを捜して歩いたのでないことは、この言葉によって知ることができる。自然は本来ばらばらで、変化しつづけるものである。それをセザンヌは、両手を広げた仕草で示し、その無秩序で消えやすい存在を、細心の注意をもって一つのものに結合させる。その時、自然は不動のものとなり、永遠のものに生れ変る。そういうことを両手を握りしめる形で表現したのであろう。

実際には、そんな簡単なことではないはずだが、この一連の動作には、何かお祈りに似たものがあり、モチーフがおとずれるのを息をひそめて待っているような感じがある。ただ待っているだけでは現れてくれないから、捜しに行ったまでのことで、すき間ができたり、ゆるんだりすると、逃げてしまうというのは、その間の精神の緊張を語ったものに外ならない。

後に、私は吉井さんから、この静物画はドガが持っていたもので、大変愛していたと聞いた。ドガとセザンヌは異質の作家であるが、私にはよくわかるような気がした。それについては、また別に考えてみなくてはならないが、ドガにはあの有名な、「デッサンは形ではない。物の形の見かたである」という言葉がある。彼もまたモチーフを求めて、ばらばらの自然の中に、おのずからものが現れてくるのを、忍耐づよく待っていた画家に違いない。ばらばらなのは、果物や人間にしても同じことで、セザンヌの静物の、たたけば音の出るような実在感は、肖像画のかっちりした手応えと何ら変るところはない。ことに小品の場合は、それが如実に出る。ドガがこの絵に見たのも、そういうものではなかったかと、私は勝手に想像している。

（「信濃毎日新聞」一九八七年二月二日）

私の茶の湯観

大そう立派な題《テーマ》を頂いて、実は困っている。なぜなら私は茶の湯とは無縁なもので、ふくささばき一つ知らないからである。大体がわがままな生活をしているので、茶席の中に入っただけで気が滅入ってしまう。茶室というものが、日本の工芸美術の粋《すい》を集めていることはよくわかるが、その風通しの悪さには息がつまる。

戦国時代ならば、生死を賭けた武将たちが、あの圧縮された空間の中に、ひとときの和と静寂を求めて、起死回生の悦びを味わったであろう。それは想像するに難くはないが、現代の茶道はそこから一歩も出てはいない。風通しが悪いといったのはそういう意味で、潑剌とした生命力を失っていることは確かである。「茶道の精神」、「茶の湯の心」などという言葉がはやるのも、茶道を支えて来た肉体が衰弱し、形骸化したことの証拠だと思う。

それでもお茶を飲むことは好きだから、窮屈なことは我慢できるが、その後で「お道具拝見」などといって、ろくでもない茶碗やなつめを、大げさな手つきで撫ぜまわし、さも感心した風をよそおう演技力は私にはない。そういう演技は、実社会だけでもう沢山、せめて茶室の中では、煩瑣な生活を忘れて、のびのびした気分を味わいたいと希《ねが》うのである。

茶道のこととなると、私はいつもヒステリイ気味になるのだが、愛すればこそヒステリイも起こるので、私ごときがいくら反抗してみたところで、しょせん蟷螂《とうろう》の斧である。外からうち見たところ、現代の茶道も、華道も、完全に企業化されている。今や一つの大会社として組織され、文化とも芸術とも関係なく、金儲けをしてるのだと思えばあきらめもつく。それどころか、盛大な事業だと感心もする。ただ祖先の遺産を喰い物にしているのがちょっと気になるが、筍《たけのこ》生活では長つづきするわけがない。日本の大衆は、銘柄には弱いが、飽きっぽいのも事実だから（飽きっぽいのは、進歩することでもあるから）、やがて顧《かえり》みなくなる日も来るだろう。ほんとうの茶人が、新しい文化を背負って立つ利休が、忽然と復活するのはその時だと私は思っている。

事業としての茶道が、こんなに盛んになったのは戦後のことである。一般民衆が中流意識をもったこともその理由の一つで、今まであこがれていた高級な芸術に、我も我もと飛びついたのであろう。それ自体は結構なことだし、何も文句をいう筋合いはない。また、外国との交流も盛んになり、彼らには神秘的に見える禅や茶の世界、ひいてはわび・さびの不可解な鑑賞法にも、魅力を覚えたと想像される。それらは好奇心以外の何物でもないから、至って衛生無害であるが、いつかある有名なフランスの女優が来た時、びっくりしたことがある。かりにCさんと呼んでおくが、彼女は日本の漆器を見たいといい、ただし、今はお金がないので、買えないが、――とつけ加えた。懇意にしている骨董屋さんがいるので、あらかじめ頼んでおくと、平安朝から現代に至るまでの漆器の逸品を、年代別に並べて、懇切丁寧な説明をして下さった。それは私たちが見てもみごとなもので、なかんずくその態度には、誠意がこもっており、彼女は感激して何枚も色紙にサインをし、再会を約して別れた。

そのあとで、ある有名な茶道の宗匠のもとへ招待された。先ず彼女を唖然とさせたのは、お給仕がすべて「外人さん」だったことである。たぶん先方としては、外国人だから外国人の方がいいと思ったのだろうが、多分に宣伝の意味もふくまれていたに違いない。私にいわせれば、そこら辺が狂っているのである。「あたしは日本人のお茶が見たかったのに」彼女はそう耳打ちしたが、後の祭りである。そうこうしているうち、玄関に誰か偉い人が来たらしく、今まで静かだった座敷は騒然となり、指揮をとっていた宗匠夫人が、「早くそこを片づけて……」「あれをこっちへ持って来て……」、お湯よ、道具よ、と追い立てられる始末となった。

いくら外国人でも居たたまれたものではない。取るものもとりあえず、外へ出たが、お礼をいうひまも与えられなかった。帰りの車の中で彼女はいった。

「あの骨董屋さんの方が、ずっとお茶人ですね」

外国人にもそのくらいのことはわかるのだ。はじめに断っておかないのが悪かったが、あんなに恥《や》ずかしい思いをしたことはない。そういう経験を書けば山ほどあるが、下らないから止めておく。もちろん、世の中には、茶の湯の伝統を立派に守っている流派も茶人もいるに違いない。私の知人にもごく少数は数えられるが、そういう人たちは言挙《ことあ》げしないから、門外漢にはとかく華美で、茶道に相反する悪い面ばかり目につくのだ。

——ごめんなさい。


話を前に戻して、Cさんが、骨董屋さんの方がずっと茶人だ、といった言葉は、長く私の耳に残った。彼は茶道具屋ではないから、お茶のことにはくわしくない。だが、彼の店は時にクラブみたいになって、同好の士が大勢集まって来る。学者あり、文士あり、医者あり、会社の社長から職人衆に至るまで、いわゆる数奇《すき》者たちが、お金のあるなしにかかわらず、骨董を中心にして談論風発、真夜中に及ぶことさえある。和気あいあいとした雰囲気の中で、ふと我に還る時、「お茶とは本来こうしたものではないか」と私は思う。その骨董屋さんが「茶人」なのではなく、茶器のことなんか知らなくても、日本人の血の中には、お茶がとくとくと音を立てて流れているのである。

柳宗悦《やなぎむねよし》は、形式化された茶道に反抗して、民芸運動を起こした。が、民芸館へ行ってごらんなさい、そこにある唐津でも、九谷《くたに》でも、李朝でも、いや民芸そのものが、利休や織部《おりべ》の影響から完全に脱却しているといえるだろうか。既成の茶道具の型にはまらないだけで、長次郎の楽《らく》をえらんだのと同じ眼が、李朝の秋草の壺を発見しているではないか。宗悦が、口をきわめて井戸茶碗を称讃した事実が、そのことを証明しているが、作者不明ということに固執したところに、民芸運動の矛盾があった。作者は不明であってもなくても、いいものはいいのである。もしお茶に使えない道具なら、使えるような付き合い方を発明したらいい。何もみごとな点前《てまえ》で抹茶を飲むだけが茶の湯ではあるまい。気に入った徳利《とっくり》とぐいのみで、友達と酒を汲みかわしても、そこに和敬清寂《わけいせいじゃく》の理想の境地がかもされる時、利休の魂に触れることはできると思う。

考えてみれば、私たち骨董好きが愛している道具類も、一つとして茶の湯の伝統からはずれるものはない。長次郎の「無一物」は及びもつかないから、ささやかなそば猪口《ちょく》で我慢してるだけの話である。そば猪口の中にも二つとない名品はあるのであって、それを見分けるためには、たとえば紹鷗《じょうおう》が、農家で信楽《しがらき》の種壺を発見したのと同じ眼を必要とする。それに比べたら、志野《しの》や織部の美しさを理解することの方がどれ程やさしいかわからない。一介の農夫の中にも、立派な人間は必ずいるもので、そういう人物を見出すことの方が、都会の有名人よりはるかに難しいのと一般である。「骨董は買ってみなければわからない」といわれるのも、使ってみなくてはわからない、のと同義語で、すべてお茶の伝統に出ている。茶道とは、ひと口にいえば「生活」全般にわたる心構えで、この混沌《こんとん》とした人間社会に、いかにして秩序を与え、いかにして美しく、たのしく過ごせるかという公案を課すことにほかならない。

平安朝の宮廷貴族が創りあげた高度の文化は、武家が台頭するとともに崩れ去り、やがて戦国時代を迎えて、日本は戦乱の巷《ちまた》と化した。「諸代非成ノ差別ナク、自由狼藉世界ナリ」(「二条河原落書」)という混沌の中から、佐々木道誉《どうよ》のような「ばさら大名」が生まれた。ばさらとは過差《かさ》を好むことであり、成金趣味の贅沢をいう。

「太平記」を読むと、傍若無人な彼らの振る舞いを目《ま》のあたり見る思いがするが、そういうものを土壌にして茶道が育ったのは興味あることで、一つの文化が生まれるための前提には、破壊的なエネルギィを必要とするものらしい。何やら現代の風潮に似なくもないが、だからといって、「芸術は爆発だ」なんて、やけを起こしてはならない。爆発したら元も子もなくしてしまうからで、ばさら大名が果たしたのは、衰弱した宮廷文化に活《かつ》を入れることだった。近江の豪族佐々木氏には、何百年にわたって蓄積した伝統があり、真っ向から足利幕府と朝廷に反抗することによって、日本の文化に新鮮な空気を送りこんだのである。

悲しいことに、一億総中流の意識の中に埋没した今日では、ばさらの野性も財力も望むべくもない。わずかに茶道のさの字も知らない我々のような無法者が、隅っこの方でそば猪口相手に遊びながら、「無一物」を、「卯花墻《うのはながき》」を、夢みているにすぎない。現代は我慢の時代である。茶道の伝統が、たとえ片隅にでも息づいているかぎり、また別の形で蘇る日が来るだろう。私はそれを信じているし、信じなければ生きていられないような気がする。

（『茶道聚錦』第一巻月報、小学館、一九八七年）

天上大風　良寛

若い頃良寛の書がほしくて、ずい分探したことがある。私の場合はなりふり構わず駆けずりまわって、良寛良寛と呼ばわるのであるが、ある時「天上大風」の書に出会って、釘づけになってしまった。以来、良寛を探すことはふっつりあきらめたが、大騒ぎをするかわりあきらめるのも早いのである。

だから私は良寛の書を一つも持ってはいない。当時は少々奮発すれば買える程度の値段で、時には心を動かされるものもないではなかったが、その度ごとに「天上大風」が目の前に現れて、何もかも吹き飛ばしてしまうのであった。それほどはじめて見た時のショックは大きく、いまだにそれはつづいている。私は良寛の書をこよなく愛しているので、「天上大風」を知らずに終わったら、こんな思いをしなくても済むのにと悔やまれるほどである。

由来書によれば、ある日彼が燕《つばめ》の街を歩いていた時、一人の子供が紙に字を書いてくれと頼んだ。何にするのか訊いてみると、凧を作るから何か書いてほしいといったので、その場で書いて与えたという。

よく知られた逸話であるが、良寛はみだりに字を書くことを嫌ったから、子供の頼みとあればよもや断りはすまいと思って、大人がダシに使ったのではないかという説もある。紙をしらべたところでは、凧に用いたという形跡はないそうで、空高く上りたかった「天上大風」は、むなしく掛け物か何かになって床の間に飾られていたかも知れない。だまされたのは良寛ではなくて、気の毒な子供の方であったと思いたいが、「天上大風」などという字がとっさに浮かんだのは、だました大人や子供ではなく、良寛自身であったに違いない。そういう潑剌とした命がこの書にはこもっている。

良寛について私は多くを知らないが、大空を往く風の如き書体は、おそらく晩年のものではなかったであろうか。良寛はあまり方々から書を頼まれるので、いや気がさし、ことに年をとってからは面倒くさくなっていたらしい。

――雪の中をお使いを下されようとも、近頃は物を書くことがすべて出来なくなりました。筆ものこらず切れ果てました。たとえあっても手に取ることもありません。どこからおいでになりましょうとも、みなお断りしております。

そういう意味の手紙も遺っている。表向きは丁重でも、ほんとにほしければ自分で来ればいいのに、といった気概が感じられるが、その反面、女や子供には心のこもった手紙を書いているところに良寛の人柄が偲ばれる。

この「天上大風」も、ちびた筆で、墨がにじもうが、飛び散ろうが、まったく意に介さぬという風で、子供にねだられるままに、燕の街なかで寒風に吹きさらされながら書いたように想われる。燕の付近は今でも凧上げの盛んなところで、「天上大風」は、良寛が望んだように大空に舞うことなくて終わったが、この書に接する時、私たちは心身ともに軽くなって、虚空に遊ぶ心地になる。いつしか良寛の書は消えてなくなり、ただ良寛の魂にふれる想いがするのである。

（『芸術新潮』一九八九年二月号）

民芸に望む

戦争で疎開して以来、私は古い農家に住んでいるため、身のまわりの道具には民芸風のものが多い。別に趣味で集めたわけではなく、実用を兼ねているので、農家にはその方が似合ってもいるるし、荒っぽく扱うのに適しているからだ。これが往々にして誤解を招く。

「あなたは民芸がお好きだから、上手《じょうて》物はダメでしょう」

茶人や中国陶磁の愛好家たちからは、そんな風に見られる。そうかと思うと、たまたま雑誌などで私が大事にしている桃山時代の志野や唐津の写真を見て、民芸畑の人たちはまるで反対のことをいう。

「あなたは上手物の方だから、民芸は向きませんね」

そして、その両方に（あからさまにではないが）人を小馬鹿にしたような侮蔑の眼を感じる。はじめのうちは気になって、あれこれ言いわけをしたものだが、この頃は「勝手にしやがれ」と思うようになった。だいたい茶器と民芸を分けるのがおかしなことなので、私は古今東西の美しいものなら何でもいいと思っているのである。

たしかに柳宗悦《むねよし》氏は、あまりに洗練されすぎ、形式化された茶道に反撥して、民芸の理念を打ち建てることに成功した。時あたかも大正デモクラシーの最盛期に当り、白樺派の文学その他と轡《くつわ》を並べて発展したといえるであろう。そんなことは事新しく述べるまでもないが、先に理論だけが突っ走って、作品が追いつけなかった嫌いがないでもない。

このことは、民芸作家の初期の作品と晩年のそれを比べてみても解ると思う。一番如実に現れているのは河井寛次郎の木彫で、天を指している巨大な指や、薄気味悪い双身像などには、柳さんが唱えた「用の美」はどこにも見当らない。まったく抽象的な、頭脳の所産と化しているが、仔細に見れば浜田庄司やリーチにしても、初期の力強さと明快さを失った点では同じである。

そういうことが在来の民芸に影響を及ぼさなかった筈はなく、それまで無心に作っていた人々まで混乱させてしまった。地方にはそれを食い物にするボスがいて、民芸の指導の名のもとに「民芸道」ともいうべき結社を作りあげるに至った。民芸からはずれるものはすべて邪道だとする一種の宗教である。心ある職人は（たとえ作るものがれっきとした民芸であっても）、自分は民芸作家ではないと最近では胸を張っていう始末である。柳さんの理想はどこへ行ってしまったのだろう。

おもうにそれは民芸の美を追求することに急で、日本の伝統を無視したところに起った勇み足ではなかったか。民芸は何も柳一派の発見によるものではない。早くも室町時代には、珠光や紹鷗《じょうおう》などの優れた茶人によって、農民が用いた種壺《たねつぼ》や擂鉢《すりばち》のたぐいは見出されていたのである。利休に至っては井戸の茶碗はいうに及ばず、茶道に用いる道具のもとは、すべて民芸に出ているといっても過言ではあるまい。もし、名もない作者が無心に作ったから美しいというのなら、昔の備前も信楽《しがらき》も志野・織部《おりべ》も、無名の陶工たちの手に成った。大げさにいえば、正倉院の工芸だって、作者がわかっているものは少いのである。

民芸と、上手物とが違うのは、要するに値段だけのことなのだろう。が、古伊万里の皿が百万円以上になった今日では、そんな呑気なこともいっていられまい。まして浜田庄司や芹沢銈介《せりざわけいすけ》の作品が数千万円もするのをみると、もはや民芸作家とは呼べなくなる。一方民芸はといえば、わずかに地方で作っている竹細工やお土産物で細々命をつないでいるようでは、もはやなきに等しい。いっそ民芸なんて言葉がなくなってしまったら、どんなに風通しがよくなることか。そんな風に思う時もある。

もともと茶道への反撥を目的としたためか、現代の民芸作家たちは、古いものには至って冷淡なように見える。が、昔も立派な民芸が存在したことを、偏見を持たずに再認識してはどうだろう。日本の民芸を救う道はそこにしかないように思われる。

参考として、九谷の中皿と織部の行灯《あんどん》皿を掲げておく。九谷、織部と聞いただけでアレルギーを起してほしくはない。早い話が民芸館の蒐集《しゅうしゅう》には、このテのものが多いのである。それらはいわば柳さんの民芸論の原型なのだから、そういうものを自分の眼でし

織部菊花文角皿（撮影：藤森 武）

っかりと見て、作品に生かしていただきたい。茶臭と同様、民芸臭に毒されていない民芸を、私たちは切に欲しているのである。

（『Ｔｈｅ　あんてぃーく』一九九一年九月号）

十一面観音　磚仏

三月一日は小林秀雄さんの祥月命日なので、雨の中を北鎌倉の東慶寺へお参りに行った。小林さんは昭和五十八年に亡くなったから、今年で五年になる。ちょうど季節の変り目なので、密葬の日も雨が降っていたし、毎年お天気が悪い。「菜種梅雨」と昔の人たちは巧《うま》いことをいったが、小林さんも菜の花がお好きだったらしく、お葬式の時も、菊や蘭なんかは飾らずに、菜の花だけで祭壇を埋めつくしてあったのが、却ってその人らしく、新鮮に見えた。

北鎌倉の駅を出て、水しぶきの中を東慶寺へ向う。周知のとおり東慶寺は、北条時宗の夫人が建立した尼寺で、別名を縁切寺とも駆込寺ともいう。夫に不当な目にあった女性をかくまってくれた寺で、後醍醐天皇の姫宮や、豊臣秀頼の娘などもここで尼になった。徳川時代には多くの不幸な女性を救済したらしいが、その後衰微して、現在はお坊さんが住職になって復活している。境内には姿のいい老梅の林があり、紅白の梅が雨にぬれてふくいくたる香りを放っていた。

小林さんのお墓は鎌倉時代の美しい五輪塔で、四方に仏さまが彫ってある。この五輪塔は十五年ほど前に京都で求められたもので、その時も私は小林夫妻といっしょに見に行った。しきりに石塔をほしがっておられ、犬のお墓にするのだとか何とかぼそぼそいっておられたが、ほんとは自分のお墓を準備しておきたかったに違いない。そんな大げさなことをいうのは嫌いな方だったから、五輪塔は長い間お庭の一隅に建っており、東慶寺に移されるまで私たちは先生のお墓になるとは知らなかった。

その日はお天気が悪かったのと、別にお仏事があるわけではないので、遺族のほかには二、三親しい人たちがいるだけだった。小林さんが生前ひいきにしていた小町の「ひろみ」というてんぷら屋さんで、昼食を御馳走になったが、雨の日だというのに湿っぽくはなく、和やかな団欒《だんらん》であったのが気持よかった。

私にとって、小林さんは文学の上では大先生であったが、骨董の世界では仲間だった。競争してぶんどったものもあるし、ぶんどられたものもある。それぞれに憶い出の深い品であるが、その一つに中国の十一面観音の磚仏《せんぶつ》があった。磚仏というのは、瓦《かわら》に仏さまを彫ったもので、六〜七世紀の作である。今から十四、五年前、私が『十一面観音巡礼』を連載していた頃、大和か紀州かどこか遠いところへ取材に行っていた先へ、小林さんから電話がかかって来た。

——お前さん、十一面観音に興味あるんだろ。鎌倉の骨董屋でちょっと面白いものめっけたから、とっといてやろうか。

それだけで私には大体どんなものだか想像がついた。骨董には阿吽《あうん》の呼吸みたいなものがあって、たとえ片言でも解る時には解るものなのだ。ぜひとっといて下さいと頼んでおき、帰京するとすぐ頂きに行った。それはわずか八センチ足らずの磚仏であったが、いかにも隋時代の清新さをたたえた十一面観音で、柔らかい中に鋭い線で天蓋や唐草が彫ってある。小品ながらしっかりしており、推古仏を想わせるような楚々とした姿が美しい。

その時既に私は連載を終えていたので、この磚仏の写真を本の表紙に使わして頂くことにした。表紙に何を使うか、適当なものがないので困っているところだった。そういう意味でもまたとない記念であり、私にとって懐かしい憶い出の遺品である。

（原題は「十一面観音　磚仏　隋時代」。『クロワッサン』一九八八年四月二十五日号）

李朝　染付辰砂水滴

ふだん四角い枡目《ますめ》の原稿用紙に、万年筆で文章を書いていると、せめて手紙を書く時ぐらいは筆を使いたくなる。別に高級な趣味や物好きでいっているのではない。硬いペン先の触感と、窮屈な枡目に束縛されるのがいやなので、たまには和紙の上に、柔らかい筆で自由に書いてみたいという生理的な要求があるにすぎない。

私は遅筆だからいつも締切に追われている。一枚でも、三百枚でも、苦労するのは同じなので、ときどき暗い穴に落ちこんで二進《にっち》も三進《さっち》も行かなくなる。そんな時、気を変えるために私は手紙を書く。手紙は文章とはちがって、神経質にならずに済むのは、たぶん相手がひとりで、気心が知れているからだろう。古今を問わず私的な消息が面白いのは、屈託なく筆を走らせているためで、その場合もむろん肉筆の方が趣きがある。

そんなことをいうとさも字が巧そうに聞えるが、習ったことがないので下手である。手紙を貰った方は迷惑をされているに違いない。筆で書くからといって、こちらは少しも礼儀を重んじているわけではないのだが、そんな風に見えるのは一得といえるかも知れない。

先ず机の上に新しい紙をのべ、水滴から硯《すずり》に水をそそいで、ゆっくり墨を磨る。今は「水滴」などという言葉も知らない方が多いと思うが、面倒だからといって墨汁なんか使うのは下の下である。書道などと堅苦しく考えるまでもなく、筆で書く時のこれは一種の作法、というより「道行き」のようなもので、墨を磨る間の「間《ま》」が大切なのである。ことに近頃のように忙しい世の中になると、このような時間は貴重であり、無心に磨っている間に、墨が硯に吸いつくように密着して行く。その快感は、たとえば陶芸家が陶土を練る時のように気持よく、豊かな感じがして、自然に筆をおろすことができる。どちらかと言えば手紙の類《たぐい》は、見たところがきれいな方がいいのだから、(私の場合は)文章よりも字くばりに心を用い、絵に近いような気分で書き流す。いつも巧く行くとはかぎらないが、ところどころ墨がにじんだり、かすれたりするのも、ペンや鉛筆では味わうことのできぬたのしさだ。

昔から東洋人が文房具に凝ったのも、そういうたのしみがあったからだろう。硯も筆も、私はろくなものを持っていないが、水滴だけは縁があって、気に入ったものがいくつか集っている。どういうわけか李朝の陶器に美しいものが多いが、これもその中の一つで(写真省略)、わずか三センチ半ほどの小品である。李朝に特有のやや青みがかってくすんだ肌に、染付《そめつけ》(青)で菊の花が描いてあり、芯《しん》の部分に辰砂《しんしゃ》(朱)が使ってある。こういうやり方を「釉裏紅《ゆうりこう》」と呼ぶが、文字どおり釉薬《うわぐすり》の下に紅がすけて見える意で、表面に彩色してあるのとはちがい、一段と深い色に染まっている。この手法は、日本では初期伊万里に見られるくらいだが、中国や朝鮮の焼きものには時々あり、珍重されているのは技術的に難しかったのであろう。

筆で書くことに私はさも興味をもっているように記して来たが、ほんとのことを言えば、このような文房具と付き合いたいばかりに、面倒な手数と時間をかけているのかも知れない。はたして私は骨董が好きで使っているのか、それとも骨董に使われているのであろうか。

（『クロワッサン』一九八八年五月十日号）

法隆寺　鍍金鈴

昔、私の父は聖徳太子奉讃会のお手伝いをしていたので、年に何度か大和の法隆寺へうかがうことがあった。その度に私を連れて行ってくれたが、子供にはあまりありがたくないことだった。今とはちがって交通の便が悪く、国鉄の王寺で汽車を降りるか、郡山《こおりやま》から軽便鉄道に乗って行くか、どちらにしても長い道のりを歩かなければならなかったからだ。

現在は法隆寺の門前に車が横づけになるが、その当時は、春はれんげや菜の花の咲く畑の中を通ったり、秋はもみじに彩《いろど》られた竜田川を渡ったりしながら、やっとお寺に着く。着いてもすぐ南大門へ入れるわけではなく、長い松並木の参道を歩いて行くと、やがてその向うに五重の塔が見えて来る。それはいわば原風景のようなものとなって私の心の中に生きているが、お寺へ参詣するためには、そこに至るまでの道中とか時間というものがどんなに大切か、身にしみて知るようになったのは後のことである。別にお寺に限るわけではない、何事につけその結果より過程の方が大事であり、面白味もあることは、多少とも人生経験を積んだ人には自明のことだろう。

父が寺務所で会議や用事をしている間、私は境内の中を見物して廻った。その頃はまだ宝物館は建っていず、百済《くだら》観音は金堂の中の目と鼻の先に立っており、四方をとりまく壁画も健在であった。「観光」などという言葉もない時だったから、拝観人はほとんどいず、壁画のかもしだす妖《あや》しい光に包まれて、ひとり極楽境に遊ぶ気分にひたっていた。

その壁画が、昭和二十四年の火災で焼けたと聞いた時には、肉体の一部が消滅したような脱落感を味わった。京都の金閣寺が焼けたのも、よくは覚えていないがほぼ同じ頃で、正に戦後の荒廃を象徴するような事件であった。その精神的な損失は、いまだにいやされてはいない。むしろ年毎《としごと》に傷は深くなって行くのではないかと私はひそかに思っている。

法隆寺の鈴を手に入れたのはその頃のことである。お寺では祭りの際などに、「幡《ばん》」と称して、長い織物の布を天井から垂らして装飾とするが、その裾の先に多くの鈴をつける。風が吹くと、幡がひるがえって、鈴がぶつかり合い、美しい音を立てるという仕組である。鈴の鎖の先に花型のようなものがついているのが、幡にはさむための道具で、両側がバネで開くようになっている。鈴は蓮の蕾《つぼみ》か、アカンサスをかたどっているのであろう、細く柔らかく、しかも力強い線で彫刻してあり、私はこれをネックレスに仕立てて愛用している。ただし、長い方の鎖、つまりネックレスの部分はあとから模したものなので、いくらかせせこましく見えるのは仕方がない。

寂しい時、この鈴を振ってみると、推古の音がする。そして、子供の頃に見た法隆寺のあたりの景色がよみがえって来る。焼ける前の壁画の至福にあふれた情景も、丈高い百済観音の唇の紅も、大空に浮ぶ五重の塔のかなたには、聖徳太子の幻影まで見えかくれする。「遠くも来つるものかな」と、その時わが身をふりかえって思うのだが、その思いには、過去をなつかしむというような甘ずっぱい感傷はない。何といったらいいのか、私たちの歴史は、たとえ無意識にせよ、私たちと共にある、私たちみんなの中に生きている、そう自覚することが、生きていることの意味なんだぞと、推古の鈴は告げるようである。

（原題は「法隆寺　鍍金鈴　推古時代」。『クロワッサン』一九八八年五月二十五日号）

織部　菊花文角皿

古田織部（一五四三―一六一五）は美濃の人で、信長と秀吉に仕えた大名であった。利休の高弟で、利休亡きあとは第一級の茶人として一世を風靡《ふうび》したが、大坂夏の陣で豊臣方に内通したかどで切腹を命ぜられた。いつの時代にも政治と芸術は相容れないもののようである。

「織部」の名で呼ばれる焼きものは、彼が創案したもので、その卓抜した意匠と自由奔放な作風は、いさぎよい人生を送った人間の颯爽《さっそう》とした風貌を想わせる。徳川幕府は三百年で終ったが、織部の創造した焼きものが年を経るとともにいよいよ持て囃《はや》されているのは、当然のこととはいいながら皮肉である。

どんなものでもそれが生れた当初の新鮮な美しさにはかなわない。織部も江戸期に入るとさびれてしまい、民衆の雑器しか作らないようになって行く。いわゆる民芸である。茶道の器も、最初は民芸から出たものであることに変りはないが、茶器が衰退すると、却って民芸の方が美しくなる、という矛盾が起る。織部の場合もその例に洩《も》れず、弱々しい後期の上手物《じょうて》より、日常雑器のげて物の方がはるかに健康で、面白いものを大量に生産するようになった。徳川末期の油皿とか片口とか飯茶碗の類に、愛すべきものは多いのである。

この菊の角皿もそういうものの一つで、生れは油皿ではないかと私は思っている。油皿というのは、灯の油が垂れるのを受けるためのもので、ふつうは円い形の皿にくだけた文様が描いてある。特に菊の花を二つか三つ型で押し、緑の釉《うわぐすり》がかかっているものが多いが、これは筆で描いてあるのと、四角い形であるところが違う。もしかすると、ふつうの油皿より古いのかも知れない。花びらの線が実に屈託なく、自由に筆を走らせているのが美しく、桃山時代の織部と比べても遜色《そんしょく》がない。お金さえ出せばいくらでも一流品は買えるだろうが、こういうものは安くて気楽だから、発見した時のうれしさはまた格別である。私はお菓子を盛ったり、おつまみをつけたり、その時々でたのしんでいるが、何にでも利用できるのがこの種の皿の長所といえるであろう。

今は亡き陶芸家の荒川豊蔵氏は、志野・織部の故郷である美濃の大萱《おおがや》に住んでおられた。邸《やしき》の中を清らかな小川が流れており、至るところに野草が咲き乱れていた。小高いところにかやぶき屋根の母屋《おもや》が建っていて、私は度々そこに泊めて頂いたが、朝起きると、家の前の小川で顔を洗うといったような生活であった。

その住居は桃山時代の志野の窯跡《かまあと》にあったが、道をへだてた向い側には、「弥七田《やしちだ》」

という織部の窯跡があり、昔は織部の破片がたくさん出た。この菊の皿もその辺で焼かれたものに違いない。眺めていると、緑したたる雑木林の中で、わらびやたらの芽を摘み、夕食に頂いたことが思い出される。外ではふくろうが啼《な》き、何の花とも知れぬ香りが闇の中をただよって、盃を重ねるうちに桃山の昔に還《かえ》ったような陶然とした気分になる。あの美しい志野や織部は、まさしくそういう雰囲気の中から生れたものであることを私はその時知った。けっして展覧会で勉強したり、本で読んだ知識ではない。

（原題は「織部　菊花文角皿　江戸時代」。『クロワッサン』一九八八年六月十日号）

旅枕

ほととぎすそのかみ山の旅枕
ほの語らひし空ぞ忘れぬ　　式子内親王

新古今集の歌で、賀茂の斎院であった式子内親王が、昔、賀茂の神山《かみやま》に籠っていられた時、ほのかに聞いたほととぎすの声をなつかしく憶い出《いで》て詠んだ歌である。そのかみに神山がかけてあり、旅枕は、旅寝というほどの意味であるが、はじめは歌枕などから連想された詞《ことば》であろう。それも斎院の場合は世の常の旅寝ではなく、おそらくは神聖な世界への旅を意味しており、ほととぎすは冥界《めいかい》と此世《このよ》を結ぶ神の使であった。

この歌にはちょっと恋歌を想わせるような雰囲気もあるが、ほととぎすを媒介にして、夢現《ゆめうつ》つの間に神と交流した霊的な体験を歌ったと解しても不自然ではあるまい。内親王自身は無意識であったかも知れないが、太古から巫女《みこ》の体に刻まれた歴史は、「そのかみ山の旅枕」という詞にも現れているように思う。賀茂の神山は、上賀茂神社のすぐ背後にあり、旅枕とか旅寝というほど遠い所にはないからである。また「そのかみ」という詞も、どこまで遡《さかのぼ》るそのかみのことかにわかに判定することはできない。「旅枕」という歌語が、いつ頃できたものか私は知らないが、それを焼きものの銘にとりあげたのは室町・桃山期の茶人で、彼らは実ににくたらしいほどの数寄者《すきもの》であった。前ページ（写真略）に掲げたのは信楽《しがらき》の花入で、実際にも古い枕の形に似ているが、信楽に特有な石はぜのある肌合いと、苔《こけ》むしたような景色が、深山幽谷ですごした一夜の夢の凄《すさま》じさと寂しさを彷彿させる。

はじめはある特定の花器に与えた銘であったものが、後には信楽といわず瀬戸でも志野でも備前でも、この形の陶磁器はすべて「旅枕」と称するようになり、主として掛花入に用いられている。

旅枕という詞が生れるまでには、旅心、旅姿、旅住い、旅疲れ、旅づと、旅の宿り等々、旅に関する熟語は無数に存在した。巡礼も旅なら、人生も旅である。イザナギ・イザナミの昔から、神武天皇も、ヤマトタケルも、天照大神《あまてらすおおみかみ》も伊勢に鎮座するまでには諸国を遍歴した。「貴種流離譚《たん》」のみか、老いも若きも、尊きも卑《いや》しきも、現代に至るまで日本人の放浪癖は少しも改ってはいないのである。

多くの物語や詩歌の原動力となった旅の中から、この信楽の花入も、ある日、忽然《こつぜん》と生れた。それは物いわぬ一個の美術品にすぎないけれども、眺めていると、私たちの背後にある文化のすべてがその中にかくされているような気がして来る。彼もまた長い旅路のはてにやっとここまで辿《たど》りついたのだ。そんな顔をしている。

（『芸術新潮』一九九一年八月号）

李朝の白壺

奈良東大寺の管長であった故上司《かみつかさ》海雲《かいうん》師は、三月堂のそばの観音院に住んでおられた。住房というよりふつうの民家みたいな邸で、気さくな方だったので、いつも来客であふれていた。志賀直哉、小林秀雄、宇野浩二、佐佐木茂索、といったような著名な文学者とも交遊があり、いつしか私も親しくして頂くようになっていった。

みずから「壺法師《つぼほうし》」と名のられたように、上司さんは陶器の壺がお好きで、座敷は元より庭の中まで大小さまざまの壺が林立していた。その中でひときわ抜きんでていたのが李朝白磁の大壺であった。志賀さんからの贈り物とかで、私が今まで見た中ではもっとも大きく、胴のふくらみがたっぷりとして力強い。さすがにこれだけはいつも床の間に鎮座しており、春は新緑に萌える木々の枝が、秋は紅葉に彩られた柿や桜や雑木などが、活けてあるというより四方八方へ自由に手足をのばしていた。

私のような骨董好きには垂涎《すいえん》おくあたわざる名品であったが、志賀さんから贈られたものと聞いてはゆずって下さいとは言いだしかねただけではなく、東大寺の雰囲気にぴったりしすぎていたので、羨望の眼で見つめているだけだった。

その後、いくつも白壺を買ったが、いずれも満足させてくれるものはなく、すぐ手離してしまった。ところが去年の秋、京都で美しい壺に出会った。美しいといっても、前記の壺には及びもつかないが、柔らかい姿形といい、自然についた味といい、まったく別の物と思ってみれば申し分ないのである。東大寺ならぬわが家の茅屋《ぼうおく》では、たとえあの大壺を手に入れたとてどこへ置くことができるというのだろう。人には「分《ぶん》」というものがある。私はひそかにこの愛すべき壺に、「風花《かざはな》」の銘を与え、東大寺の面影をほのかに伝えつつ、五十年の夢を覚ましてくれたことを感謝しながら眺めている。

（『週刊朝日』一九九五年二月十日号）

陶芸のふるさと

先日、根津美術館で、故秋山順一氏が蒐集された古美術の展覧会があった。秋山さんは、一般には知られていないと思うが、骨董好きの間では、名品を持っていられることで有名な人物で、遺族の方々は、故人の愛した美術品が散佚《さんいつ》するのを恐れて、根津美術館に寄贈されたのであろう。根津は戦後にできたはでな美術館とは違い、個人的な愛蔵品を主にした美術館で、環境も静かで落ち着いているから、その撰択は誤ってはいなかったと思う。

今、名品とか古美術という言葉を用いたが、秋山さんの蒐集には、そういう一般的な概念からははみ出たものがある。みごとな蒐集であることに違いはないのだが、しいていうなら生活の中に生きている美術品と呼べようか。その大部分は酒器であるが、一つ一つに故人の息吹が通っており、こういうふうに一堂に集められてみると、秋山さんの在りし日の姿が偲ばれるだけでなく、その眼力のすぐれていたことに改めて驚かされるのであった。

一階には、比較的大きな李朝の壺と、良寛の書が飾ってあり、いずれも垂涎おく能《あた》わざるものであったが、二階へ上ると雰囲気はがらりと変わり、急にさむざむとした隙間風が吹き抜けるのを感じた。そこにはお酒の好きだった秋山さんが、常に傍に置いて愛撫された徳利や盃が並んでいたからだ。主をなくした名品は、名品であることに変わりはなかったが、見るからに寂しそうで、使われていた時は生き生きとしていたその色と形と味わいが、まったく生気を失って、場ちがいなものに見えたのである。

私はそこに日本の焼きものの特殊性をまざまざと見るおもいがした。その中には粉引《こひき》や刷目《はけめ》も交っていたから、厳密には日本の焼きものとはいえないが、日本人が用途を発見し、長年使いこなしたものであるならば、日本人の美意識を現しているといっても間違ってはいないと思う。いうまでもなく、それは茶道の伝統によるもので、日本の道具は、鑑賞陶器とは違って、人間が使うところに意味がある。いや、使わなければ死んでしまう。そういうことを強く感じた。そして、根津美術館には茶室がいくつもあるのだから、たまにはこういうものを使って、有志の人々にお酒を飲ませてほしい、そこではじめて秋山さんの志も生き、徳利や盃も甦《よみが》えるであろうと私は思った。骨董の愛好家には自明のことだが、案外古美術の専門家にはそういう大事なことが解ってはいない。頭が西洋流の知識でいっぱいになり、自分の人生が入りこむ余地がないからである。

近頃は、暮らしの中の陶器とか、美術ということが盛んにいわれている。そういう言葉もはやりすぎるとおかしくなるもので、私の経験からいえば、はじめに「暮らし」があったわけではなく、好きで集めた美術品が、ろくでもない私の暮らしを、いくらか楽しく、意義のあるものに育ててくれたといえるであろう。私に骨董の面白さを教えたのは青山二郎さんで、青山さんはその作品集（小沢書店）の中でこのようにいっている。

日本人の眼は昔から鑑賞陶器では納まらなかったから、物の姿や形を我が人生と、観て、活用の途を工夫し、眼というものが物をぱくぱく食わずには置かなかった。……見れば解るという物は先ずそれっきりの物だが、これこそは人が物を人格にまで高めて眼がそこから学ばなければならない暮しである。

と。傍点を付したのは私だが、最初のうちはそういうことがどうしても呑みこめなかった。朝起きて、三度のごはんを食べて、夜になると寝る——そういうことが「暮らし」だと思っていたからで、若い頃の私には人生も思想も皆無であったということだ。夢のような暮らしの中に、やがて美術品がわり込んで来た。もともと嫌いなものではなかったし、ちょうど戦後の混乱期のことだったから、多くの大名や旧家から、目を見はるような名品が、次から次へと売りに出された時代であった。値段も今から思うと嘘みたいに安かった。買うことのたのしさを知った私は、道具屋へ日参し、美術品の洪水の中で我を忘れた。

壺中居の先代の不孤斎さんは、あなたは倖せな人だ、わたしが六十年間かかって見たものを、ひと月の間に見てしまった、といったが、骨董で苦労した人の言葉が駆け出しの私にわかるはずもない。いくら安いといっても、こっちも金持ではなかったから、忽ちお金に詰まってしまい、夢中で売ったり買ったりしている間に、ふと気がついた時は、元も子もなくしていた。私が本気で物を見るようになったのはその時からで、だからといって、ほんとうに見えるようになったとは今でも思ってはいない。ただ好きなものを「ぱくぱく喰わずには」いられないだけのことで、そこに物から学んだ私の暮らしがある。誰のものでもない私の人生がある。

先日テレビで、野球評論家の野村克也氏が面白いことをいっていた。監督の仕事は、(選手を)見つける、育てる、生かす、この三つに尽きるという。人間でも、焼きものでも、それは同じことなので、たとえば唐三彩の馬や人形など、鑑賞陶器のつまらなさは、個人が持っていても飾っておく以外に手を貸すことはできない。青山さんが、「それっきりの物」といったのはそういう意味で、博物館のガラス越しに眺めても、写真に撮っただけでも、その美しさは誰にでもわかるのである。

しかるに日本の焼きものは（この中には朝鮮の陶器も入るが）、手に持った時の重さとか、柔らかさとか、唇に当てた時の触感とか……その他もろもろの肉体的・生理的な条件がからむので、眼で見ただけでは全体の美しさはつかめない。徳利は酒を入れて注いでみないと使い心地がわからないし、盃に至ってはもっと微妙になる。

そこに先ず「見つける」ことのむつかしさがあるが、次に「育てる」ことの愉しみは、新旧に関《かか》わらず使っている間によくなることだろう。もっとも新しい陶器や発掘品は、必ずしもよくなるとは限らない。中には使っているうちに汚い土が釉薬の下からにじみ出て来たり、いつまで経っても味がつかなかったりして、がっかりさせるところも人間に似ている。青山さんは、「青山学校」と呼ばれるほど人を育てることに熱心であったが、陶器の場合もその例を洩れず、新しい作品を買って来ては、煮たり焼いたり酒につけたりして、味がつくのを愉しんでいた。

その極端な例は、嘉靖《かせい》の金襴手《きんらんで》（中国明代初期の金彩をほどこした磁器）を買って来て、しきりに爪で金の部分をはがしている。しばらく経って、どうだ、よくなっただろう、と自慢するので、見ると唐草の金彩が半分ほどとれてなくなっている。そういわれてみると、確かに変化がついて面白くなっていたものの、もはや嘉靖の金襴手ではなく、青山二郎の作品になっていた。相手が人間でも陶器でも、そこまで徹底的に付き合ったのが青山先生で、さしずめ私などは、金襴手がはがれて、見る影もなくなったものの一例であろう。

最後の「生かす」ということは、用途によって使いわける、――即ち活用の道を発見するところにある。桃山時代の茶人が、農民の種壺を花入れに転用したり、向付けやそば猪口をぐいのみに用いたりするのはよく見る例であるが、私の場合はそこにとどまらず、仏壇においてある香炉が時には花器に化けたりする。もっとも仏壇といっても本格的なものではなく、亡くなった主人の遺影が置いてあるだけなので、「ちょっと失礼」とか「拝借します」と断って、花を入れたり、灰皿に転用したりしている。ものを生かして使うなら、死んだ人も喜んでくれると信じているからだ。

最近私は、伊賀丸柱の福森雅武さんに、自分の骨壺を造って貰った。市販の骨壺は、味もそっけもなくて、あんな冷たいものに入る気はしないからである。だが、福森さんは縁起をかついだのか、なかなか造ってはくれなかった。それがやっと望みが叶ったので私はうれしかった。これから長い間かかって、――といっても、明日死ぬかも知れないが、それは承知の上で、花を活けるのに使い、洗ったりこすったりして、せいぜい味をよくするつもりでいる。あんまりよくなりすぎて、取っておくような量見を起こしたら、化けて出るぞ、と子供たちにはしかと申し渡してある。

志賀直哉先生は浜田庄司氏に白磁の壺を造って貰い、生前は砂糖壺に使っておられたが、お墓に入ってから盗まれたという話を新聞で読んだ。あれは見つかったのだろうか。時々気になるが、私の場合は、あんな有名人ではないから大丈夫だろう。よし盗まれたにせよ、どうせ土に還るのだから、あとは野となれ山となれで、自分の友達が造ってくれた壺の中に入るほど倖せなことはなく、これ以上のたのしみはない。そんなことを考えながら眺めていると、だんだんアラビアンナイトの中の登場人物のような気がして来るのがおかしい。

だが、ものを活かすというのは、そんな単純なことばかりではない。まったく別の分野にでも活用することはできるのである。青山さんに教えられて、骨董に開眼した小林秀雄さんは、物の形を文体の上にみごとに活かすことのできた達人であった。今ここに小林さんの文学論を述べることはできないが、初期の論文と、中期以後の作品を仔細に読めば、解る人には解るであろう。

もともと頭脳的には人に優れた人物であったが、美は理屈ではわり切れない。しかるに、文学も美の一形式である。文体とは美しいかたちを自分のものにすることだ。人によって、それぞれやり方は違うだろうが、小林さんはそれを古美術の中に求めた。「この三年間、俺は骨董に夢中になっていた。そのおかげで、やっと文学がわかりかけて来た」と、小林さんは井伏鱒二氏に語ったという。「この三年間」というのは、昭和十九年頃から二十一、二年へかけてで、却ってこういうことは、評論の専門家より、骨董で苦労したことのある人に通じるものがあるのではないか。言葉ではいえなくても、直感的に理解できるものがあると思う。小林さんが、「文学というものは文学者が考えているより、実は遥かに文学的なものではない」といっているのをみても、文体と、物の姿の間に、相通ずるものがあることを語っている。

誤解のないよういっておくと、私は唐三彩を美しくないといっているのではない。中国の陶磁器は、技術的にいっても、美しさの点でも、日本の焼きものとは比較にならぬほど完璧なもので、正にその完璧さゆえに、人間が近づくことができないという意味である。唐三彩のらくだをいじくり廻すことは滑稽だし、万暦赤絵の壺に花を入れたら、どんな花でも貧相に見えるに違いない。それらは玄宗皇帝や楊貴妃の宮廷を飾るにふさわしい美術品で、我らの兎小屋ではただ場ちがいに見えるだけである。

民主主義の時代になって、雨後の筍のように博物館や美術館が方々に建ち、国宝や重要美術品が王侯貴族の蔵から開放され、誰にでも見ることができるようになったのは幸福なことである。だが、生まれは争えないもので、その中に日本の焼きものを置いても、ガラス越しに見るだけでは半分の値打ちもない。それははじめに書いた秋山氏の蒐集をみても解ることで、知らない人が見たら、そこらのげてもののように見えるであろう。

だからといって、外側ばかり飾りたてた華美なものを作っても（この頃はそういうものが多くなったが）、物ほしげな成金趣味になるだけだ。日本の伝統の中にないからで、外国の真似をしたからといって、国際的になれるわけのものでもない。個性を尊重するなら、個性を活かす以外に方法はなく、伝統を守るといっても、近頃の絵かきの某々氏のように、光悦や乾山を真似したところで、ちゃちな模倣に終わるだけである。私が排斥したいのはそういう「贋物」なのであって、そこまで堕落してしまうと、生活のために止むなく贋物造りをしている職人の方にはるかに好感が持てる。

九月号（昭和六十二年）の「芸術新潮」に魯山人の特集が編まれていた。そこで私は今さらのように、魯山人の作品の美しさと、多様なことに目を見張った。加藤唐九郎氏は、私との対談の中で、魯山人を評して、「婆ア芸者が長襦袢をちらつかせるようで嫌いだ」といったが、婆ア芸者でもこのくらい芸があれば見事なものである。

模倣ということを云えば、魯山人の作品の殆んどは琳派の真似である。でなければ、桃山時代の志野・織部に備前・信楽・九谷から、明の染付まで模している。「工芸」というものは、本来そうして育って来たもので、昔の人びとは自分の創意をひけらかそうなんて生意気なことは考えなかった。光悦のような天才でも、——美術評論家は利休を超えたなどといっているが、井戸や楽や志野茶碗とともに、茶道の中で育った生活人で、その伝統にそって茶碗を焼き、蒔絵を造った。けっして現代作家の中のある人々のように、野放しで個性を発揮するようなことはなかった。茶碗は飲みやすいように、花器は花を活けやすいように造るのが先決問題で、いわば内側からこしらえて行ったら、外側もおのずから美しい形を得たのであって、花器を造ったからついでに花もくっつけておけ、といったような乱暴な「創意」はどこにも見られない。

魯山人の陶器も、元はといえば星ヶ岡茶寮で使用するために造ったのだから（もしかするとその逆であったかも知れないが、結果はそういうことになった）、料理を盛って美しく見えるように、絵も控えめに、しかも自由自在にあばれて描いている。どこかで見たような志野だと思っても、それは完全に魯山人のものになっており、乾山模《うつ》しであることは一目瞭然でも、中には乾山を超えた作品もある。あの有名な「椿の大鉢」などがそれで、乾山の本歌は少しうるさいが、魯山人はそれを適当にやわらげ、余裕を与えることによって、桃山時代の豊かな気分を再現させている。

そういえば魯山人も、青山二郎さんが私に紹介してくれた作家の一人で、彼の傍若無人な性格には悩まされたものである。さすがに青山さんはビクともせず、「あんなもんは電車の車掌と思っていればいいんだよ」といっていた。電車の車掌さんには失礼だが、「芸術家と思うから癪にさわる」ということの表現だから許して頂きたい。とにかく無知無教養なくせに、抜群に趣味がよく、胸のすくような作品を遺したのは、稀《まれ》にみる珍品といえるであろう。陶器にそそいだほどの心遣いと、繊細な神経を、世間の人々との付合いの上に用いたら、あれ程嫌われることもなかったろうし、生前に名を得ていたであろうに、惜しいことだと私たちはいつも語り合っていた。そういう意味では、自分の作品から何一つ得ることのなかった一種の犠牲者で、それを思うと気の毒でならない。

考えようによっては、作者が死んだ後で、作品が一人歩きをしているほど名誉なことはないが、最近の魯山人の値段の高さは異常である。「芸術新潮」によれば、私が毎日雑に使っているごはん茶碗は（忘れもしない、それは当時五百円であった）今では何十万円もするし、箸置きも五個一組で五十万もするという。いくら魯山人がいいからといって、室町・桃山の本歌の方が美しいのは当たり前のことで、道具屋さんからねだられる度に私は魯山人の大物はすべて売りつくし、今残っているのは半端物ばかりである。ただ一つ自慢できるのは使いこんであるために、味がよくなっていることだろう。高いものだからといってお蔵にしまっておいたのでは、陶器は生殺しの目に会っているのも同然である。そういう意味において魯山人は、今でも犠牲者であり、お墓の中で嘆いている声が聞えて来るような気がしてならない。

京都に加藤静允《きよのぶ》氏という小児科のお医者さまがいられる。まことに穏やかな人物で、修学院の山を望む風光明媚なところに住み、仕事の余暇に古伊万里や古染付の類を焼いていられる。近頃は駆け出しの陶芸家でもすぐ「芸術家」になりたがるが、先生は素人をもって任じており、したがって道具屋が買いに行っても売ることをされないのは立派である。

どの作品も、陶土といい、染付の色合いといい、実に美しい。絵が上手なことも染付の場合は必要なことで、大皿に描いた風景画など、本物の古伊万里と見紛うほどである。魯山人と同様、模《い》しであることに変わりはないが、研究熱心な方だから厖大な資料を集めておられ、小さな破片からヒントを得て、さまざまな作品の上に、自分の夢を実現させているのは見事という他はない。たとえば鯰《なまず》の絵皿などにはとぼけたユーモアがあって面白いし、網目の文様もよく見る図柄だが、今時こんな気迫のこもった線が描ける作家はいない。これらの小品を見ただけでも、先生が古い形を自分の物にされているのが解るとともに、陶器を造ることに人生の悦びを見出していられることは明白である。

加藤先生は、箱の蓋裏に、作品を造った時の感想めいたものをいつも書いて下さる。それを見るのもたのしみの一つで、鯰の皿の箱にはこう記してある。

これは染付の
少しうすい手の
ものです
古染の本歌には

なかなか及びません
やはり和風です

「和風」だから完全に自分の物になさっているのだし、私たちも親しみやすいのである。こういう作品を見る度に私は思う。鉄斎の例をひくまでもなく、人間は究極のところ、余技に生きることがほんとうの在り方なのであろうか、と。私はそういう例を何人か知っているが、誤解を恐れずいうならば、（外国のものに比べて）日本の芸術一般には、素人的な要素があり、それが作品に余裕を与えるとともに、使う人たちを参加させる余地を残している。不完全な言葉がより合って連歌を作るように、不完全な道具が集まってお茶の世界を形づくる。それが日本の伝統というものだ。私は現代の（新興宗教のような）茶道とは縁がないが、桃山時代のお茶の精神は、不完全なりに受けついでいるつもりである。

（『日本こころの旅　陶芸のふるさと』青人社、一九八五年）

よびつぎの文化

茶碗

「よびつぎ」という言葉がいつ頃出来たか私は知らないが、陶器から出ていることは確かであろう。その名のとおり、陶磁器の破片をよせ集めて継いだもので、縄文・弥生土器の類は、継いであっても「よびつぎ」ではなく、「復元」という。

考古学の資料では、あくまでも正確さが要求されるのに対して、「よびつぎ」には日本人に特有の美意識が働いており、物に対する切実な愛情が感じられる。だいたい壊れたものを大事にする国民なんて世界中にいるだろうか。中には壊れたためにいっそう有名になり、持《も》て囃《はや》される場合がなくもない。

たとえば「筒井筒《つついづつ》」の茶碗がそうだ。ここに書くのも気がひける程有名な話であるが、太閤秀吉が大切にしていた井戸茶碗を、ある時小姓が粗相をして割ってしまった。あやうく手討ちになるところを、細川幽斎《ゆうさい》がとっさの機転で歌を詠んで救ったというのである。

つつ井筒五つにかけし井戸茶碗
とがをば我に負《お》ひにけらしな

いうまでもなく、「伊勢物語」にある在原業平の、「つつゐづつ井筒にかけしまろがたけおひにけらしな妹《いも》見ざるまに」をもじった歌で、のちに利休が修理して、自分の茶会で使ったりしたという。その後、京都山科《やましな》の毘沙門堂の所有に帰し、現在は金沢にある。一説に、濃茶《こいちゃ》の回し飲みの際にとり落としたともいうが、「筒井筒」の名にふさわしいおっとりとした名品で、このような伝説が生まれたのも当然のことのように思われる。

だが、この話はよく出来すぎている。事実はもっと殺風景なことらしく、本能寺の変の時に大和の筒井順慶が、日和見《ひよりみ》的な行動をとったため秀吉の怒りを買った。そのお詫びのしるしにかねてから所持していた家宝の井戸茶碗を献上して、秀吉の御機嫌を取り結んだ。その時、幽斎が詠んだのが「筒井筒」のざれ歌で、以来、この茶碗は、その名をもって呼ばれるようになったと聞く。

事実は小説よりも奇なりというが、茶道にまつわる話は総じて伝説の方が面白い。一騎当千のつわ者たちは、機知の面でも互いにしのぎを削っていたのであろう。ついでのことにいっておくと、朝鮮わたりの高麗茶碗《こうらい》を、なぜ「井戸」と呼ぶのか不思議に思っていたが、「筒井筒」の場合は、はじめ大和井戸城の主・井戸良弘が所有していたのを、順慶の次男にゆずったもので、井戸も筒井も細川も、明智光秀と姻戚関係にあった。「井戸」の名はその井戸氏から出たらしい。

してみると、「筒井筒」の歌も、筒井順慶の「筒井」にかけて詠んだもので、茶碗に「咎《とが》を負わして」八方まるくおさめたのである。それは茶道の精神に基づいた美談で、やはり事実は小説よりも奇なりというべきか。

「早船」と名づける長次郎の楽《らく》茶碗も、いくつにも割れていて、これには井戸とはまた違う和様の趣《おもむき》がある。利休が「早船」で朝鮮から取りよせたという伝説をともなっているが、お膝元の京都で作られた楽茶碗が朝鮮から来る筈はない。これは利休独特のユーモアで、実は茶会に間に合わせるために、急いで取りよせただけのことにすぎまい。だが、この茶碗を眺めていると、いかにも戦乱の巷《ちまた》をくぐりぬけて来たというような切羽つまった気迫が感じられる。同じ長次郎でも、「無一物」の気品のある穏やかさとは雲泥の相違がある。

もちろん道具は破損してない方がいいにきまっているが、継いであるためにいっそう美しくなった場合もなきにしも非ずで、その一つに光悦作の楽茶碗がある。

全体の形も、高台《こうだい》も、長次郎には及ばないが、大胆不敵な金づくろいは、光悦蒔絵の力強さと豊かさを思わせる。これは意識して豪快に継いだとしか考えられないが、一つの「景色」として茶碗全体の姿を引き立たせている。壊れたものは壊れたなりに、曲がったものは曲がったなりに、生かしてみせるのが茶道の精神といえよう。それは利休のわび・さびにも通ずる思想であり、日本の文化の伝統であった。

だが、今まで述べて来たことは、ほんとうの「よびつぎ」とはいえない。はじめにもちょっと記したように、「よびつぎ」というのは、壊れた陶器の破片を集めて来て、一つの完成品に仕上げたもののことをいう。茶碗だけではなく、徳利や盃、その他あらゆる種類の道具に利用されたが、何といっても茶碗は茶道の中心をなしているから数が多いのである。

それは古くからあった言葉ではないと思う。初期の焼きものは、そんな手間をかける必要がないほど美しいものにあふれていたからで、たまたま壊れたものが逸品であったため、捨てるのがしのびがたくて継いだのであろう。

時代が下るとともに、目利きはふえる一方で、名品は少なくなる。いってみれば需要供給の問題が、「よびつぎ」という手法を生み、技術も発達したに違いない。いつとはっきりいうことはできないが、それは徳川も末期のことではなかろうか。明治の維新時代は、日本文化の危機であったと私は思っているが、伝統というものはそう易々と消え失せるものではない。大正から昭和の初期へかけて、さまざまの方面に新しい物の見かたが要求されるようになった。私は文化史を書いているわけではないから一々説明はしないが、益田鈍翁《どんのう》（三井財閥を育てた・本名孝）、原三渓（横浜三渓園は彼が集めた美術品と古建築とから成る・本名富太郎）をはじめとする茶人を見ても、利休の伝統をふまえた上で、新しい鑑識眼を開拓して行ったことは明白である。

同じ頃発生した民芸運動が、いかに堕落した現代の茶道に抵抗したとがんばっても、民芸館の蒐集品を見れば、彼らが排斥した茶道の申し子であることは否《いな》めない。李朝の壺は、利休の発見による李朝の茶碗と同じ生まれだし、農民の生活用具である茶壺や種壺も既に桃山以前に取りあげていた。

鈍翁といえば、愛知県の旧家に、鈍翁の命名による「東海道」という志野茶碗がある。「東海道五十三つぎまたにかけ――雲外」

と書付にあり、雲外というのは益田さんの号である。

桃山時代の大ぶりな茶碗で、形も発色も見事である。昭和初年、美濃古窯《みのこよう》の発掘が盛んに行なわれた頃、志野の破片を集めて作ったもので、これはあきらかに「よびつぎ」と名づけてよいものだ。ここまで完成すれば桃山の作品と何ら変わるところはなく、鈍翁の「創造」によるといっても過言ではないと思う。

実際にもこのような茶碗を作るには、多くの時間と手間がかかる。平たい皿ならともかく、立体的な茶碗に仕上げるためには、素地の厚みとか、カーブの工合、色彩の変化に至るまで綿密に考えなくてはならない。何百とある破片の中から一つ一つ選ぶのは、好きでなくては出来ない仕事である。それだけに思ったとおりに出来上がった時は新しい茶碗を作る以上の喜びを味わったかも知れない。

その頃は陶工とは別に、「よびつぎ」の名人と呼ばれた人たちがいたそうで、鈍翁のような人物を客に持つことを無上の仕合せと思ったに違いない。

「よびつぎ」という言葉が生まれたのは、地位も職業も教養も、それぞれ異なる人々が、どこからともなく呼び合うように集まって、足らぬところを補いながら一つのものを作りあげて行ったからだろう。これほど楽しく、理想的な付き合いがまたとあるだろうか。茶道は堕落しても、道具は不足しがちでも、物を見る眼さえ新鮮に保っているならば、「よびつぎ」を生む材料はいくらでも発見することができる。別に国宝や重文を蒐集することだけが、一流の茶人ではない。いわば窮すれば通ずるのが「よびつぎ」の文化で、それは人から人へと伝えられて行き、多くの美しいものを生んで行った。

瀬津雅陶堂の先代は、「東海道」の茶碗を見て、一生のうちに自分もこのようなものを作りたいと思ったという。

「荒川（豊蔵）先生に連れられて、何度か発掘現場に出掛け、陶片ばかり集めていた土地の名物お婆さんを訪ねたりして、たくさんの陶片を手に入れた」と、息子さんの瀬津巖は語っている（「芸術新潮」一九八五年十二月号）。箱裏に「志野寄筒茶碗茶友瀬津雅陶軒主人の苦心作　耳庵《じあん》九十五」とあり、耳庵とはいうまでもなく松永安左ヱ門氏のことである。

志野よびつぎ茶碗 銘「五十三次」（撮影：藤森 武）

「寄筒茶碗」なんてしち面倒臭いことをいうより、鈍翁の狂句の方がしゃれているが、松永のじいさんは、そういう朴訥《ぼくとつ》な人間だったのだから仕方がない。

「東海道」に対して、こちらの方は「五十三次」と名づけられており、模様があるためそのつなぎ目や胴のふくらみに、前者より多くの手間がかかったであろう。この茶碗は、荒川さんの窯《かま》があった大萱《おおがや》の土で焼いたように見受けられるが、薄手で、しっかりと焼きしめられて、現代の厚化粧の志野とは品格がちがう。かの有名な「筍《たけのこ》」の茶碗の破片も、同じ窯跡で発見されたもので、……それからそれへと「よびつぎ」に関する私の憶い出はつきることがない。

織部と辻ヶ花

「よびつぎ」というものの面白さに私がはじめて開眼したのは、今から三十年ほど前、荒川豊蔵氏のお宅に招待された時のことであった。

それまでにも秦《はた》秀雄さんなどから、いくつか見せられていないこともなかった。が、いずれも小さなぐいのみのたぐいとか、徳利の口の欠けた部分を継いだものとかで、変にでこぼこして、「よびつぎ」とは名ばかりのものであった。私が見向きもしないので彼は不満げに、「これがわからなくてはあんたもまだ一人前じゃないな」と馬鹿にしたが、そんな風に思い入れの烈しいところが秦さんの長所でもあり、欠点でもあったといえよう。

そのような次第で私は長い間「よびつぎ」というものを認めなかった。それはいいものを見ていなかったからで、いいものがなかったら、「よびつぎ」なんて名称が残っている筈もないが、そこまでは考えが及ばなかったのである。

荒川さんの家には、その時五、六人の客がいて、いろり端でお茶の接待にあずかった。それぞれに志野、織部、瀬戸などの味のある茶碗を出されたが、私の前には次ページに載せた（写真略）「よびつぎ」が置かれた。

はじめは「よびつぎ」とは気がつかなかった。お茶の緑と、茶碗のやわらかさがしっくりと溶けあって、口当たりがいいので実においしく頂いたのであった。

飲み終わって、はじめてその茶碗が「よびつぎ」であると知った。こわれた断片をよせ集めたものではなく、一つ一つの模様も素地の色も違う。何という念のいった趣向、何という心のこもった技《わざ》であろう。私が言葉もなくみとれている間、荒川さんも私から目を離さず、「どうだ、参ったか」といいたげな様子であった。もっとも、荒川さんは穏やかな方だったから、そんな素振りは表には見せず、にこにこ笑って見ているだけだったが、心の中ではそう思っていられたに違いない。でなければ、たくさんある名品の中から、私にこの茶碗がまわって来た筈もない。私は荒川さんに感謝した。

この茶碗は、世に知られている織部の手鉢とか沓《くつ》茶碗とか向付《むこうづけ》のような、いわゆる名品とは呼べない。だが、薄手でカリカリと焼けており、何より形が素直なのが美しい。「よびつぎ」ではないが、私はこのテの織部をいくつか持っていたが、茶臭がまったくないのが気に入っていた。茶人が見向きもしないので昔は安かったが、おそらく民衆が日常に使っていたものに相違ない。さりとて民芸というわけではなく、時代もその雰囲気から見て桃山を下るまい。もしかすると、このような織部が先にあって、手のこんだ上手物《じょうてもの》は少しあとから出来たのではあるまいか。

まあ、そんなことはどちらでもいい。この茶碗の魅力は何といっても「よびつぎ」の継ぎ方にあり、写真では見えないけれども、手前の方には横段やタテの線、緑の無地の部分もあるという工合で、一つのものとして完全な調和を形づくっていた。織部の絵の面白さと、その自由な意匠を生かしている点では、これに優るものはなく、継いだことによって、完品以上の美しさを発揮していると思う。

いつ頃この「よびつぎ」が出来たか知る由《よし》もないが、陶工とは別に「よびつぎ」の専門家がいて、何千何百とある破片の中から長い時間をかけて探したのであろう。これはたぶん高台の部分が残っていたから出来たようなもので、全体の胎土の薄さとか、カーヴの曲がり工合など、えらぶのにどれほどの時間がかかったことか。昔はこの種の陶器の破片などには目もくれなかったであろうから、案外それは近世のことであったかも知れない。

箱書によると、「古織部呼継茶盌　久尻元屋敷古窯出土　慶長時代」と記してあり、

荒川さんや魯山人《ろさんじん》が美濃の窯跡を発掘していた頃誰かが発見したもので、その時既に継いであったらしい。くわしいことを聞いておかなかったのは残念だが、つい最近まで美濃の周辺には「よびつぎ」の名人がいて、「くっついて離れない」という意味で、結婚する時の縁起物に使われていたという。

してみると、大したものとも思わずに、農家の蔵の片隅に今でもころがっているかも知れない。実際にも大したものではないのであるが、私が心をひかれるのは、茶臭にも民芸臭にも毒されていないこのような焼きもので、はじめて出会った時からその筋の人々に頼んで探しているが、未だかつてお目にかかったためしはない。

この「よびつぎ」が桃山時代の作と信ずる所以《ゆえん》は素地のよさにもあるが、全体の雰囲気が、その頃はやった「辻ヶ花」に似ているからである。

辻ヶ花も図柄としては「よびつぎ」と呼んでいいもので、絞りで染めた上に椿や藤の花を墨で描いたり、また突如としてそれとは関係のない市松や格子の抽象文様が現れたりする。かと思えば、勝手に相手の領分まで侵し、絞りの部分から花や葉っぱがはみ出したり、虫喰いや露のようなものを描いたりしている。だいたいの構想は先にあったに

違いないが、描いている間にここぞと思うところについ筆が走ってしまったという感じで、そういう自由闊達な即興性が辻ヶ花の何ともいえぬ魅力である。

絞りは友禅ができる前、使いやすい糊《のり》がなかったので文様の輪郭を表すための、いわば不自由が生んだ手法であった。絞りは非常に古くから行なわれていたが、慶長年間に尾張で鳴海《なるみ》絞りが発明されて以来、広く用いられるようになったのではあるまいか。

名古屋の近くには、「辻ヶ花」という地名もあり、実際にそこで作られたかどうか不明であるが、鳴海のほかに有松《ありまつ》絞りも存在したから、だいたい尾張から美濃のあたりへかけて職人の集団が住んでいたと想像される。絞りは古く「くくり染め」といい、荒川さんが住んでいられた大萱の近くにも、「久々利《くくり》」という地名があって、織部と辻ヶ花の関係を示唆している。

辻ヶ花には今でも多くの小袖や断片が残っているが、盛んに作られたのは戦国時代から徳川初期へかけての比較的短い期間であったのをみると、やがて便利な友禅にとって代わられたのだろう。

幻のように現れて、幻のように消えて行った辻ヶ花には、ほかの染織にはない美しさがある。それは不自由な手法が生んだ豊かさともいえるが、糊を使った型とは違って、手でくくった絞りを、藍瓶や紫草の汁に何度もつけて染めたため、思わぬところににじみやずれができて、面白い効果をあげている。それはまた織部の焼きものに似た風合いを想わせるが、戦乱にあけくれた時代にこのような染めものが生まれたことは、人間にはある種の緊張と覚悟のようなものが、物を作る上にも必要なのではないだろうか。

ことに当時は公家の文化がようやく朝廷を離れて、武家へ、ひいては民衆の側へと移って行く時代であった。織部と呼ばれる焼きものが、どの程度古田織部とかかわりがあったか、私は知らないけれども、古田織部は自他ともに利休の後継ぎをもって任じていたことは確かであり、利休によって頂点に達した茶道を、いかにして自分のものにするか、利休を超えられるか、非常に苦心したように想われる。

彼は、わび・さびのかわりに、そこに剽《ひょう》げたもの（ふざけたもの、とぼけたもの、破格なもの）の美を発見したが、辻ヶ花もその時代の影響のもとにあったことは疑えない。古田織部は美濃の大名で、大坂夏の陣に秀頼方に内通したという疑いにより、切腹を命じられたが、美しいものの奥にはいつも血の匂いがする。言葉をかえていえば、利休も、織部も、生命をかけて美しいものを創造したのであり、彼らの遺《のこ》したものが今の世までも生き生きと輝いているのは当然のことだろう。

生地《きじ》の織物も、染料も、そして人間も、まったく変わってしまった現代に、辻ヶ花を復活することは無理な話である。私が知っている範囲では、辻ヶ花の精神を受け継いでいる唯一の作家は古澤万千子さんだけで、謙虚な彼女は自分の作品を「辻ヶ花」と呼ぶことを避けて、「辻ヶ花風」の絞りと呼んでいる。489ページ（写真略）にその一部だけを載せたが、その作品の中には桃山時代のものと見紛うほどの傑作が多い。興味のある方は求龍堂から出版された『染衣《そめぎぬ》』と呼ぶ写真集を見て頂きたい。

表装の美

ふつうでは中々見ることの出来ない絵画や書蹟の写真集が、立派な本になって出版されるようになったのは喜ばしいことである。私の若い頃は、いくら見たいと思ってもカラー写真はなかったし、たとえあっても技術が未熟で、実物には程遠いものであった。今では墨色や色彩が本物にそっくりとはいえないまでも、大体のところは想像がつく。ただ残念に思うのは、その多くが本体の絵、もしくは書に集中しているために、表装の部分が省いてあることだ。日本の美術の場合、まわりの表具と中心の書画が美しく調和していなければ半分の値打ちもない。それらは常に一体として見るべきものであるにもかかわらず、学者も道具屋も鑑賞家も、意外に無神経であるのは嘆かわしいことである。

平成五年（一九九三）の秋、上野の博物館でやまと絵の展覧会があり、その感をあらたにした。中身の絵しか知らなかったものに、胸のすくような表具がほどこしてあったり、反対に、さほどいいとは思っていなかった書が、表装によって引き立ってみえたり、昔の人々のものを見る眼の確かさと奥行きの深さに私は驚嘆したのであった。

「よびつぎの文化」とはいささかかけ離れてはいるものの、中心になる作品が、上下と中回《ちゅうまわ》し、一文字、風帯《ふうたい》から軸に至るまで、つかず離れず呼び合い、呼び継いでいることに変わりはない。広くいえばそれは花と花生けはもちろんのこと、茶室や書院の建築にまで及ぶ総合芸術の中の一部であり、西洋の絵画のように一つ一つ切り離して考えるわけに行かない日本独特の鑑賞法といえるだろう。もっとも西洋にはルオーのように、額縁まで描いてしまう画家もいたが、それとこれとは意味がちがう。日本の表装は額縁ではなく、書画の延長ともいうべきもので、そこで終わるのではなくて、そこから外へ向かって開けて行くといえようか。

したがって、表具の類は、立派すぎてもいけないし、出しゃばってもよろしくない。ほんとうをいえば忘れるに越したことはないのであって、多くの人々が無視しているのは、はじめからそういう風に作られているからだ。そういう風に作られているということ、人に気付かせずに、そこに厳然として在るということが、どんなに得がたく尊いことか、私は知って頂きたいと思うのである。

やまと絵の展覧会では、有名な佐竹本の「三十六歌仙絵」がいくつか並んでいた。いうまでもなく、これは藤原公任《きんとう》がえらんだ三十六人集に原型があり、似せ絵が流行した平安末期か鎌倉初期に成ったもので、信実《のぶざね》筆と伝えられている。最初は二巻の絵巻物で、益田鈍翁の手に入ったが、あまりに高価であったため、籤引きで一枚ずつ切って友人たちと分けた。それは大正八年（一九一九）のことで、その時鈍翁は、坊さんの絵を引きあててしまった。今でも坊さんよりお姫様の方が珍重されているが、鈍翁は誰かに頼んでお姫様の絵と交換して貰ったという。

その後、戦争などがあって持ち主は変わったが、私が展覧会へ行った時は「斎宮女御《さいぐうのにょうご》」の絵が飾ってあり、その表具を見たいと思っていたのでうれしかった。表具の解説まではどこにも書いてないのでこれは私の推測だが、上下は藍地にこまかい截金《きりかね》様の布で、風帯と一文字は牡丹唐草の印金《いんきん》、そして中回しには大胆にも室町・桃山頃の草花の縫箔《ぬいはく》が使ってある。時代としてはぜんぜん合わないのに、寂びた朱色の縫箔と、几帳《きちょう》の蔭にいる女御の姿が心にくいほど調和して、私は思わず息を呑んだ。

斎宮女御は、醍醐天皇の孫で、伊勢の斎宮に卜定《ぼくてい》された後、母親が亡くなったため斎宮を降りて、村上天皇の女御になった。天皇との間に姫君が生まれ、後にその姫君が斎宮になったが、どういうわけか天皇には愛されなかったようで、姫君とともに伊勢へおもむき、一生を不遇のうちに終わった哀れな女性である。

ことのねにみねの松風かよふらし
いづれの緒よりしらべそめけむ

几帳の蔭で物思いにふけっている姿にも、そこにそえられた歌にも、女御の悲しみがにじみ出ているが、もしかすると、彼女は源氏物語の六条御息所のモデルではなかったであろうか。これも私の推測にすぎないが、どうもそんな風に想われてならない。「秋の花みな衰へて、浅茅か原も枯れがれなる虫の音に、松風すごく吹き合せたるに、その音とも聞きわかれぬ程に、物の音ども絶えだえ聞えたる、取り添へていと艶なり」（源氏物語「賢木《さかき》」）

ＭＯＡ美術館の「湯女《ゆな》図」も、私の好きなものの一つである。表装の美しさを最初に教えてくれたのは実はこの「湯女図」で、それは何十年も前のことだったが、人間の記憶というのはいいかげんなもので、中回しには、たとえば「羽衣」の能装束のように、笙《しよう》・篳篥《ひちりき》とか笛・太鼓とか、はでな模様を使っていたように私は思っていたのである。ところが今度改めて見直すと、たしかに笛か尺八のような楽器も交じっているが、私が考えていたような大げさなものではなく、そのほかにカルタや餅花様の玩具みたいなものがところどころに散らしてある。淡い浅葱地《あさぎじ》の上にそれらの模様が染めてあり、一文字と風帯には能の鬘帯《かずらおび》を使って、全体を引き締めている。もしかすると、中回しの部分も、はじめは縫箔だったのが、いい工合に落剝して、染めもののように見えているのかも知れない。

中でも特筆すべきは上下の薄墨色の部分で、はじめ見た時は無地だとばかり思っていたのが、こまかい疋田《ひった》絞りの紫が褪せて、柔らかいねずみ色に変わっていることに気がついた。だからといって、そんなこまかい所まで見る必要はないのであって、全体が美しければそれで充分なのである。

この「湯女図」は肉筆浮世絵で、又兵衛作といわれている。又兵衛であろうとなかろうと、天下で持て囃されている「浮世絵」とは雲泥の相違がある。それは型と肉筆の違いといってもいいが、いわゆる「浮世絵」には、このような力強さと柔軟性はない。湯女は温泉場や風呂屋にいた売春婦であったが、しどけない女性たちを描いて、格調の高い芸術に昇華させたのは、画家の精神である。そこからは「梁塵秘抄」のあの美しい今様が聞こえてくるようであった。

あそびをせんとや生まれけん
たはぶれせんとや生まれけん
あそぶ子供のこゑきけば
わが身さへこそゆるがるれ

平成六年（一九九四）の春、私は二、三人の友達と京都へ行き、例によって骨董を漁《あさ》って歩いた。ついでのことに何かいい表具の掛物でもあったらしめたものだと虫のいいことを考えていた。

行きつけの柳さんへ寄ってたずねてみると、みごとな書画を六、七点見せて下さったが、どうも私の気に入らない。最後に柳さんは、これは表具がいいので買っておいたが、そのうち中身を入れかえるつもりです、といって出してきた掛物があった。

上下は薄茶の絹地で、中回しは緑がかった淡い藍色に徳川家の葵の紋があざやかな金で織り出してある。たしかに品《ひん》がよくて立派なものには違いないが、こんなものは要らないと最初私は思った。それだけではなく、「人丸」と書いてある字を見て、私たちは思わず笑い出してしまった。それはまわりの表具とは似ても似つかぬ弱々しい字で、子供か女がたわむれに書いたのではないかと想ったからである。

だが、それは紛れもなく四代将軍家綱《いえつな》が書いたものとかで、だいたい家綱なる人物を私は考えてみたこともなかった。三代将軍家光と、五代将軍綱吉の間に、そんな将軍がはさまっていたのか、おそらく身体も丈夫ではなく、頭脳の方も明晳でなかったため、このような字を書いたのであろう。が、眺めているうちに、その頼りない書が、まわりの立派な表具に少しも負けてはいないことを知った。「人丸」と書いてあるのは、歌合わせの影供《えいぐ》に用いたのであろうが、影供というのは、柿本人麻呂を歌の神と崇めて、床の間に飾ってお供えをして拝んだりしたに違いないから、そういう儀式ばった席に飾っても見劣りのしない何かがある。天真爛漫というのか、人を喰っているといえようか、生まれながらの将軍には、ふつうの人にはない変な魅力があるのが不思議であった。どうせ売れやしませんから、御用済みになるまでお貸しします、と柳さんはいってくれたが、その変な魅力にひかれて私は買って帰ることにした。

家へ帰って眺めてみると、いよいよその魅力は増すばかりで、もしかすると家綱は、将軍としては無力であったかも知れないが、大した人物ではなかったかと思いはじめた。で、いろいろ資料を集めて読んでみると、やはり凡庸な人間ではなかったらしい。その中では「ビッグ・コミック」という漫画雑誌に、白土三平が書いているものが一番面白かったが、それについては後に記すことにする。

徳川家綱（一六四一―一六八〇）は、三代将軍家光の長子で、わずか十一歳で将軍になった。五歳の時、朝廷から使者を迎えて元服の式を行なったが、終始行儀を崩すことがなかったのは、「化現《けげん》の御人」であると、沢庵和尚はいったと聞く。

彼は生まれつき虚弱であったため、家光は牛込の築土《つくど》明神の近くに「遊楽所」を設け、そこで芸事《げいごと》などを教えて丈夫になるよう育てたが、一向に効き目はなく、温和な性格は変わらなかった。そのかわり神経質になることもなく、至って鷹揚《おうよう》で、将軍になった後も老中や奥女中が、何を訊いても指図をせず、「左様致せ」というばかりだったので、「左様せい様」と呼ばれていたという。

そういうおとなしい将軍のもとで、大老の雅楽頭《うたのかみ》（酒井忠清）が幕府を取り仕切っていたが、由井正雪の事件があったり、浪人が反乱したり、大火や地震がひきもきらず、世の中は騒然としていた。そんな最中に、将軍だけは、「左様致せ」の一点張りで何もしなかった。それが却《かえ》ってよかったと思うのは、家康・秀忠・家光と、独裁的な将軍がつづいたあとで、何もしない人間が生まれたために、却って幕府の基礎が固まったからである。

私が集めた資料ではその程度のことしか判らなかったが、漫画の方はその裏でさまざまな陰謀が行なわれたり、例によって忍者が活躍したりで、ふだんは漫画なんかと縁遠い私も途中で止めることができない程面白かった。もちろん漫画のことだから大部分はフィクションで、ここに記すことは遠慮するが、家綱という人物については、教えられることが多かった。

彼は伏見宮の王女と結婚していたが、子供はなく、どちらかといえば女性より小姓を愛したようである。中でも音弥《おとや》と名づける美少年は（実在したかどうかはわからないが）、家綱の無二の親友で、武芸の嫌いな将軍に、舞の手によって刀の使い方を教えたり、絵を描く相手をして、将軍に追従するやからをこっぴどくやっつけたりした。

ある時、硯《すずり》を運んできた小姓が、過《あやま》って家綱が描いた絵に墨をこぼしてしまった。将軍が烈火のごとく憤り、手討ちにいたすといきまいたのを音弥が鎮め、

「しかし上様、よくぞお怒りになりました。あの気迫、さすがは上様にござります。いつもお心をおさえておるばかりにては気うつになることもござりまする。たまには激怒なさることもよろしきかと、……しかる後、気を冷静に保ちたること、まさにお見事なる度量にござりまする」

と、上げたり下げたりしながら将軍と付き合った。こういう真摯《しんし》な家来をもった将軍が凡庸である筈がない。家綱は約三十年間も将軍の座にいたが、幕閣の間で均衡が保たれ、合議体制がうまく行なわれたのは徳川三百年を通じてこの時代だけである。

漫画は絵が面白いので、たとえば刀さばきを扇で会得するところなども、ピシッ！バッシ！ドカン！といったような擬音で表現しているため、巧《うま》く説明することはできなかった。が、遊ぶことにかけては彼は一流の達人で、その中から自分の生きかたを学んだことは確かである。そういう意味では、築土明神の「遊楽所」は、父家光の意に反して、強い将軍にはならなくても、彼の人生に大きな役目をはたしたといっていい。別言すれば、政治の分野は有能な幕僚たちに任せて、将軍は「左様せい様」の立場に甘んじることで、うまくバランスを保ったといえるであろう。

何もしないということは難しい。ことに望めば何でもできる立場にいる人が、公には

一つの功績も残さず、無為無欲のままで終わったのは見事というよりほかはない。一級の史書にはないそういう事実を、私は白土三平の漫画によって知った。漫画はフィクションであろうが、作者は家綱の人となりを見極めていたに違いない。葵の紋の金襴にびっしりかこまれて、ビクともしない家綱の頼りない書を眺めながら、私はしきりにそんなことを考えている。

（『古美術　緑青』一九九三年七月号～一九九四年四月号）

「ととや」の話

青山さんについては、『いまなぜ青山二郎なのか』(新潮社)に書いたので何もいいたいことは残ってはいない。あんなに親切に付き合って貰って、結局、あれだけのことだったのか、という恨みは残るが、それはいつものことで、また何年か経てば書きたいことが出てくるかも知れない。それは私の至らぬせいだとあきらめるほかないが、未だに骨董をわずかながら買いつづけている私には、買う度ごとに青山さんの鑑識眼の鋭さを想わずにはいられない。

こんなものを買って笑われはしないだろうか、まだそんなところでうろうろしてるのかなどと、冥途から叱られそうな気がする。青山さんの骨董は、そのまま人間に直結しているのだから、金持ちが金にあかせて国宝を買うのとは違うのである。値段の安い高いに拘らず、それは真剣勝負であった。

文章にも形や色があるのだから、骨董を見るのとまったく同じ眼で批評した。だから私はいつも薄氷を踏む思いで書いている、といったら笑われるかも知れないが、本人の気持ちとしてはそうなのである。故人だからといって安心することはできない。青山さんの眼玉は、天の一角から我々を睨んでいる。

今度の特集（「別冊太陽　青山二郎の眼」）には、彼の遺品の写真が出るそうで、たのしみにしている。遺品といっても、青山さんはコレクターではなく、一つの物を隅から隅まで解ってしまえば、もう持っている必要はないのだから、次の獲物に飛びかかる。したがって、遺品というより青山さんの眼に叶ったもの、命がけで愛したもの、といったほうがふさわしい。

おおかた私が知っているものばかりだが、中に一つだけ行方不明の茶碗があった。それは私が青山さんを知る前に持っていたもので、本を書くときに見ておきたいと思ったが、八方手をつくしてみても出会えなかった。青山夫人や壺中居《こちゆうきよ》の広田熙《ひろし》さんは、もしかすると、その行き先を知っていたかも知れないが、持ち主が特別大事にしているものだから発表したくなかったに違いない。骨董には往々にして自分ひとりだけの所有にして、他人には見せたくないものがあり、よほどの目利きでないかぎり、見せると汚れるような気がするものだ。日本の文化は、そういう風《ふう》にして伝わって来たもので、博物館に入ることは死を意味する。たとえば鑑賞するだけの中国や西欧の陶磁器は、展覧会のガラス越しに眺めても一向さし支えはないけれども、茶碗のように身近に使うものは忽《たちま》ち生命を失う。骨董が魔性のものといわれるのは、それほどデリケートなものだからで、人間を離れて生きることはできない。信長や秀吉が、一国一城を与える代わりに名物の茶器を褒美に贈ったのも、いわば自分の魂を与えることにほかならなかった。

問題の茶碗は、「ととや」と名づける李朝の名品であった。最初の持ち主は小森松庵といって、一風変わった茶人であったが、この「ととや」は、島津家から拝領したもので、松庵は薩摩の武士の末裔《まつえい》であったから、家宝として代々大切に伝えていた。彼にとっては特別な想いが込められていたに相違ない。

松庵は私の親戚であったが、「薩摩の芋蔓《いもづる》」のことだから、これは大して当てにはならない。が、有名な蒐集家の赤星弥之助の孫に当たっていたので、子供のときから美術品は見馴れていただろう。私は彼が大学生のときから知っていたが、間に戦争が入ったので長いこと会う機会がなかった。再会したときはいっぱしの茶人になっており、井の頭公園の近くに住んでいたように記憶している。

ふつう「ととや」というのは非常にしゃれた魅力のある茶碗で、値段も高い。だが、この「ととや」は違っていた。そういう柔らかい感じの素人うけのするものではなく、どっしりした大ぶりの風格の高い茶碗であった（私は又聞きなので、はっきりしたことはいえないが、よほどの目利きでなくてはほしがらないような絶品ではなかったかと思う）。

やがて戦争がはじまり、広田煕さんに赤紙が来た。今生《こんじょう》の憶い出に彼はその「ととや」を拝みたいと思い、松庵のところへ行った。そして、もし運よく生きて還ったら、ぜひ自分にゆずってほしいと頼んだ。広田さんほどの目利きが、すべての骨董をさしおいて、それほど執心したのだから、その茶碗の並み並みならぬ美しさも想像できるというものだ。

その頃、私はまだ青山さんも壺中居も知らなかったが、昔から骨董に対する興味はもっていて、何度か松庵宅をおとずれたことはあり、二畳の茶室でお茶を頂いたりした。が、一度も「ととや」を見せて貰った覚えはない。私はほんのかけ出しで、見せたところで解る筈もないと思っていただろう。

とこうするうち終戦となり、熙さんはめでたく帰還した。とるものもとりあえず、松庵に会いに行ったことはいうまでもない。松庵も男なら腹をくくっていたに違いないが、いざ手放すとなると、急に「ととや」が惜しくなったのではあるまいか。相手も出征する前からの約束だ。なんとしてもゆずってほしい、とがんばったのは当然のことである。

そこで、何度か、やる、やらないのやりとりがあったことは想像できる。そうしている間に、カッとなった松庵は、

「そんなにほしいか！」

と叫んだとたん、「ととや」を庭石に抛《な》げつけた。さしもの名器もこっぱみじんに砕けて飛び散ったのである。

熙さんは、無言でかけらを拾い集めた。その姿が私には眼に見えるようだ。どんなに口惜しく、悲しく、相手をなぐりつけたかったことか。だが、彼は黙ってかけらを拾うと箱におさめ、大事に持って帰った。その茶碗は丹念に修理して、松庵へ返し、後日あらためて売って貰ったという。終戦直後のことで、疵物《きずもの》の茶碗としては法外な値段である。が、疵物になっても美しいことに変わりがないところに、日本文化の奥深さがある。

この話はここで終わりたい。

その後、この「ととや」は、青山さんの所有になり、今は埼玉県あたりにあるらしい。骨董屋はあくまでも骨董を売るのが商売であるから、その誇りは名品を手がけることにある。熙さんは曲がりなりにもその念願をはたし、青山さんの眼に叶ったのだから満足したであろう。一方、小森松庵は晩年に茶杓を作ってすごしていたが、ほんとうの茶人にも、ほんとうのサムライにも、成り切れぬ人間であった。それを想うと哀れである。

（『別冊太陽　青山二郎の眼』一九九四年十月）

私の骨董

求龍堂から私の骨董のコレクションを出版したいという依頼があった。写真は藤森武さんが引き受けて下さるという。藤森さんは、美術品の撮影については定評があり、私とも長い付合いがあるので、二つ返事で引受けることにした。

引受けてはみたものの、さて考えてみると私にはコレクションというほどのものはまったくないことに気がついた。たしかに骨董は好きで、長年の間に自然に集まったものはあるが、それほど執着があるわけではなく、ほしい人には上げてしまったり、別のものと交換したりして、残ったものはカスばかりである。カスの中にも多少見どころのあるものはなきにしも非ずで、この度はそういうものだけを選んだ。現にこの写真の中には既に手離したものが五、六点交じっており、そんな出入りのはげしいものがはたしてコレクションと呼べるであろうか。

もともとコレクションというものをあまり信用していないからそういう結果になったのだが、たとえば李朝なら李朝、伊万里なら伊万里の中に、長年の鑑賞に耐えるほど美しいものがそれほどたくさんあるのだろうか。しぜん私の骨董は、種類や値段にかかわらず、上は紀元前から江戸末期に及ぶ古今東西のあらゆるものを含んでいる。贋物をつかまされたこともあるが、贋物にもいろいろあって、贋物を作るつもりでなくても、売る人が本物として扱ったため、贋物の烙印を押された場合もある、といった工合で、事は単純に決められないのである。もちろんそういう怪しげなものは省いたが、骨董の真贋は、世間で考えるほど簡単なものではなく、そこが骨董の面白さでもあると思う。というわけで、私はコレクションと名づけるものをいまだかつて持ったためしはない。かりにあったとしても皆そばにおいて日常使っているものばかりで、お蔵（という程ではないが）の中はほとんどからっぽである。ときどき雑誌社が撮影に見えるが、いつもふだん着のままで、特に藤森さんのようによく知っている方の場合は、そこらに置いてあるものを勝手に撮影して、勝手に帰って行く。

したがってこの写真集（『白洲正子　私の骨董』）に出ているものは、既に読者が御承知のものが多いと思う。それではあんまり月並みになるので、この度は友人にお願いして、私が今までに拝見して忘れがたく思っている名品をのせて頂くことにした。お名前は伏せておくが、未発表のものが多く、世の中にはいかに美しいものが人知れず埋もれていることか、読者はたのしんで見て下さると信じている。いってみれば人様のお蔭で何とか恰好がついたようなもので、私の勝手なお願いを快く了承して下さった方々に、ここに改めてお礼を申し上げる。

ものを見る

バブルがはじけて、今度は文化だということになり、私などのところにまでブンカブンカドンドンとマスコミが押しかけて来る。そんなことに一々驚いていては身が持たない。彼ら——といっても、私の場合はおおむね編集者であるが、先ず訊くのは、どうしたら骨董がわかるか、ということである。

さあね、と私は考える。

あたしにもわかんないのよ。自分が好きなものを知ってるだけ。

それをどうやって見つけたんですか？

好きなものと付合ってる間に、骨董の方から教えてくれたの。五、六十年もやって、やっと骨董にも魂があるってことを知ったの。その魂が私の魂と出会って、火花を散らす。といっても、ただ、どきどきするだけよ。人間でいえばひと目惚れっていう奴かな。そして、どきどきさせるものだけが美しい。ずいぶん色々のことを教えて貰った。あたしの欠点も、長所も、いかに生くべきか、ということまで。

大抵はそこら辺で退散するが、私は笑談をいっているつもりはないのである。編集者にしてみれば、私がおかしなことばかりいうので、この頃では「白洲正子の美学」なんて書かれる時もある。何でも不可解なものは「美学」にしちまえということらしいが、私ほど美学から遠いところにいるものはないのである。

そもそも美学というものが何だかわからないので、字引をひいてみると、「自然や芸術における美について研究する学問。美的事実一般を対象として、それの内的・外的条件と基礎を解明・規定する」とあり、いよいよわからなくなってしまう。たしかに、あらゆるものは研究の対象になるに違いないが、個人の感覚にだけ訴えるものを分析したり研究したりすることができるのだろうか。「それの内的・外的条件と基礎を解明・規定する」とはいったいどういうことなのか。

たとえばここに唐津のぐいのみがあるとする。その陶土を見てそれが唐津であり、鉄砂で絵を描いたことは判る。物識りはその上に、高台の作りかたとか、火加減とか、窯変の面白さなどに蘊蓄《うんちく》をかたむけるであろう。だが、それらの綜合の上に成り立っている一個の器について何も説明したことにはなるまい。いかにそれが美しいか、絵が面白いか、千万の形容詞をつらねても美そのものを語ることはできない。そこでは知識も学問も何の役にも立ちはしないのだ。

もちろん知識や経験はあった方がいいにきまっている。それはただし都合がいいだけのことで、美とは関係のないことである。一般の人々が間違うのはそこのところで、陶器を「勉強」すれば陶器がわかると思っていることだろう。だから展覧会はいつも盛況だが、そこではものを見るより先にまず解説を読む。そして全部理解したつもりになり、うつろになった眼で流れ作業式にちらっと横目で眺めて会場を出る。頭は解説でいっぱいになっているから、ものを見る余裕なんか残っている筈はない。

美術品ばかりでなく、このことはあらゆるものに共通する現代の風潮といえよう。ひと口にいえば情報過多の時代に生きているためで、私たちは精神的に消化不良を起こしている。消化不良を直すには、充分な手間と時間をかけて治療をする以外にない。骨董だって同じことである。今まで得た知識や情報を全部忘れて、裸の心でものに接する。そして相手が心を開くまで黙って待つのである。

現代人にはこれが意外とむつかしい。好きなものを買ったのだから、すぐに吹聴したくなる。うれしいのが先に立って間が持てない。専門家（骨董屋さん）の場合はそんな悠長なことは許されない。ものを見たとたんに値段をきめなくてはならないから、美などにかかずらっていては商売にさし支える。その点私たちよりはるかに健康的で、美醜の問題は二の次となる。別言すれば、抽象的な美について云々するより、具体的な値段の方が確かだということになろう。

ものをたのしむ

バブル華やかなりし時代には、いや、それよりずっと以前の戦中戦後へかけて、骨董屋の真似事をする素人は大勢いた（ある種の茶人や画商たちもその中に入る）。おそらく室町・桃山時代頃から、訓練を重ねた骨董屋を相手に、素人が太刀打ちできるわけがない。彼らはものを金に換算することしか考えず、たのしむことを知らないから、世の中がおさまったとたん元の木阿弥となった。

素人の特権はひとえにこの、ものをたのしむというところにある。或いは骨董の世界に遊ぶといってもいい。別に高級なことをいっているのではない。バーで女の子と遊んだり、麻雀をしたり、酒を呑んで酔っぱらうのと何の違いもありはしないのだ。そうしている間にものが見えて来る（『麻雀放浪記』の著者に「麻雀」が見えたように）。

たまたま私の場合は、縁あって骨董の世界に没入しただけで、今になって考えてみると実は何でもよかったのではないかと思う。とかく世間では、本物とは何か、ということばかり気になるらしいが、そんなケチな根性ではダメなのだ。真贋あり、物欲あり、競争意識が旺盛な上に、美がからんでくるから複雑で面白いのだ。ちょっとまわりを見渡せば、それはこの世の中の人間そのものの姿ではないか。柳は緑、花は紅。といって浮かれていてもどうにもならぬところがよけい面白い。

名づけようがないので、この本は一応「私の骨董」としたが、先にもいったように、人様から拝借したものが、数多く入っている。中には重文級のものも交じっているが、私たちはそんな勲章には興味がなく、ただ同然の下手物《げてもの》の中にも同じくらい美しいものがあることを見て頂きたい。しいて珍しいというなら、それがこの本の新しさといえようが、民具を茶の湯にとり入れたのは、室町時代の珠光や紹鷗もやっていたことで、その伝統を現代に活かしてみたにすぎない。付合って下さった方たちにはまた別の見かたもあるだろうが、古くて新しいものが骨董だと私は思っている。

（『白洲正子　私の骨董』求龍堂、一九九五年）

骨董との付き合い

先日、朝日新聞の論壇に、末続堯《すえつぐたかし》という方が、「古美術市場開放に向けて」という題で、このようなことを書いておられた。

「世は骨董ブームである。閉鎖的な骨董界が、クリスティーズやサザビーズの介入によって、値段が公開されるようになったことは喜ばしい。昔は正札もつけず、客によって値段もまちまちであったが、テレビなどで公表することでガラスばりになったことも魅力である。市場がオープン化されるようになって、一般の人々が骨董を身近に感じられるようになれば、精神生活は更に豊かなものになるだろう」

概要を記せばおおむねそういう趣旨のことであった。

ここには何も間違ったことは書いていない。骨董の値段がガラスばりになるのも結構、外国のオークション会社がやって来て国際的になることも結構、その上我々の精神生活が豊かになるならば申し分ない。申し分のないことは事実だが、骨董のたのしみとなると、これはまたぜんぜん別のことである。末続氏がいわれるように、すべてガラスばりで、衛生無害なものならば、わざわざ骨董なんかに手を出して苦労することはない。デパートで正札つきの絵や陶器を買っていれば済むことである。

だいたい外国の美術商が保証したからといって、真贋《しんがん》の区別が絶対につくというのだろうか。彼らは科学的なデータや新しい機械を使ってギリギリのところまでしらべるに違いない。が、人間のすることには限度がある。その上オークションともなれば客はきそって競《せ》るのだから、ガラスばりとはいえ、もっとも高い値段が公平な価格になってしまっては、もはや大会社以外には手の出しようがない。我々は指をくわえて見ているほかはないのである。日本の骨董屋は信じられなくても、外国の業者は客観的だから根拠がある、そう思っているのは明治時代からの外国崇拝の悪癖を、後生大事にひきずっているからではなかろうか。

明敏な読者は既に気づかれたと思うが、たとえばオークションを例にとると、そこには売り手と買い手がいるだけで、肝心の美術品は等閑に付されている。目の前にあることはあるのだが、そこでは単なる「物」（商品）にすぎず、美などにかかずらっていては、眼が曇る。すべては極めて事務的に行なわれ、次から次へ能率的に運ばれて行く。それはけっして悪いことではないが、こと美術品に関するかぎり、一番大切なものを見落としているような気がしてならない。

一番大切なものとは何か。それは骨董について持っている私たちの愛情であろう。クリスティーズやサザビーズがいつ頃できたか私は知らないが、会社と名のつく以上そう古いことではあるまい。一方、日本の骨董屋は、少なくとも足利時代か桃山時代頃には既に商売として成り立っていたのではあるまいか。おそらく店などはなかったであろうし、利休のような茶人や大名の走り使いとして大いに役立っていたに違いない。

室町幕府には同朋衆《どうぼうしゅう》といって、芸術にたずさわるものの一種のたまり場があった。彼らは将軍と個人的に直結しており、生活万端の世話をするかたわら話し相手もしたようである、彼らの身分は低かったが、隠然とした勢力をもっていて、絵画、香道、いけ花その他の芸能に通じ、いずれも「阿弥《あみ》」号を名のる半僧半俗のともがらであった。能《のう》阿弥、芸《げい》阿弥、相《そう》阿弥など、特に相阿弥は有名な「君台観左右帳記《くんだいかんそうちょうき》」を完成した人物として知られている。

現代の骨董屋を彼らと比較することはできないが、ルーツを辿れば同朋衆に溯るといっても過言ではないと思う。少なくとも私の子供の頃までは、骨董屋をヌキにして茶会を催すことはできなかったし、古美術の蒐集家《しゅうしゅうか》も全面的に彼らのお蔭をこうむっている。これは今でも変わりはないだろう。一般人は骨董屋といえばすぐ贋物《にせもの》と結びつけるが、それは戦後急激にふえた四流五流の新興の人たちで、しっかりした業者は何よりも信用を第一としている。もし一点でも客に贋物を売りつけたら、それだけで彼らの信用は一敗地にまみれ、まともな付き合いはできなくなるからだ。

店頭に贋物は一つも展示してなくても、お蔵へ入ってみれば贋物は山と積んである。いずれも若い番頭さんや、ぽっと出の小僧さんたちが、何かの拍子でまちがって買ってしまったもので、いやでも目につく所へそれらのものが並べてある。彼らはその前を通る度ごとに、無言の叱責を受けるのであって、直接主人から怒られるよりその方が辛い、といつか私に話してくれた逸話を憶い出す。これは一流の骨董屋の場合だが、それら多くの贋物の裏打ちによって古美術の世界は成り立っているのだ。

末続氏は、骨董エッセイストということだが、外国で修業なさったのか、失礼ながら日本の骨董屋とはあまりお付き合いがないのではないか。

「『伝世』とか『箱書き』と言った奇妙なブランド志向」と氏はいわれるが、伝世にも箱書きにもれっきとした存在理由がある。たとえば正倉院にあるガラスの白玉碗などは、イランに行けば同じ時代の同じ姿のものが無数にあるが、いずれも発掘品だから正倉院の玉碗のもつトロリとした味わい、雲間を洩れるおぼろ月のさだかならぬ手触りには遠く及ばない。

そんな国宝中の国宝をとりあげるまでもなく、私などが日常使っている安物の伊万里でも、毎日使っていればおのずからまろやかな味が出てくる。おそらく外国ではそんな美意識は通用せず、伊万里は伊万里として十把ひとからげで値段をつけるに相違ない。

私の友達で最近亡くなった星野武雄さんは、有名な目利きであったが、そういうものの味をこよなく愛し、中身の陶器の数倍もするみごとな箱を名人に作らせていた。名前は忘れたがその名人の箱はひと目でそれと知れるもので、中身も箱によっていっそう美しく見えるのは、ヴァレリィが本の装幀を大切に思ったことと通ずるものがある。そういうヴァレリィも若い頃は、外側より内容が大事だと信じていたらしいが、晩年になって考えを改めた。それは人間を見てもよく解ることで、よい人生を送った人たちは、顔の出来不出来に拘らず実に美しい表情をしているものである。

明治の頃に多くの古美術品がアメリカやヨーロッパに渡ったが、それは先にもいったように心ない日本人が、日本のものは全部ダメで、外国を手本にすべきだと短絡的に考えたからに他ならない。それでも一流中の一流品、――特に茶器の類いは幸いにして日本に残った。外国人は、わび・さびの文化にまったく無知だったからである。この頃は多少解る人もふえたが、それは極く少数で、とても外国業者の入札に堪え得る代物《しろもの》ではない。

第一に茶碗は触感とか重さとか口当たりに重きがおかれるからで、入札では一々さわってみることもできない。同じような意味で、博物館に入ってしまったらもうダメだ。人間の手で愛撫されていないものは、カサカサになり、いかにも孤独で哀れに見える。その点、部屋に飾って見物するだけの古美術品は健康である。丈夫である。末続氏はそういうものだけを一級品として認めているに違いないが、恒久的に見える油画でも、長い間には傷んでくるし、舶載《はくさい》のものが多いために、比較的展示に堪え得る正倉院の御物《ぎょぶつ》でも、毎年奈良国立博物館で展観する度に、少しずつ剝落《はくらく》したり、変色したりして、関係者を悩ませているらしい。

若いものは老いる。新しいものは古くなる。形あるものは滅びる。これは如何ともしがたい自然の掟で、「もののあはれ」の思想はそういう日常生活の中から生まれた。兼好法師は「徒然草」の中で、螺鈿《らでん》は少し剝げ落ちたところに風情があるといい、また「花は盛りに、月はくまなきをのみ見るものかは」といって、不完全の美を愛した。あまりに完璧なものはいいにきまっているが、完璧すぎると却《かえ》って情緒に欠ける。一点非の打ちどころのない美人を毎日眺めているうちに、つまらなくなってくるようなものだ。――といえば、日本人が骨董に人間そのものを見ていたことがわかるであろう。

だから美しい箱に入れ、似合ったきもの（被服）を着せ、凝った銘をつけて愛したのである。箱書きには稀《まれ》に怪しげなものがあるが、大方は自分で書くものだし、書は人間を表すからそんなに見当違いのものではない。日本人の美意識は、室町・桃山期の茶道において極まったと私は思っているが、それ以前に倍ほどの時間をかけて、中国や朝鮮からの輸入品を模倣することに専念し、ついにはそれらを超越することによって、「自分のもの」を発見することに成功した。このことは、一人の人間が成長して行く過程によく似ている。というより、まったく同じだといっていい。

したがって、美しい骨董を見ることは、そして使うことは、自分を豊かにすることだ。けっして市場がオープン化されたからといって、骨董が一般の人々の身近になるのではない。ただ見たり買ったり集めたりすることだけで、人間は簡単に開眼するものではないのである。それはカルチュア・センターのように、向こうから教えてくれることなんかないのだから、十年でも二十年でもいい、好きだと思ったら黙って待つべきである。待っていれば石でも口を開くであろう。

青山二郎は、骨董というものは先ず感じが先に来て、一生そこで終わってしまう人もいるが、そのもう一つ先に、見えるということがある。この二つはぜんぜん別のことなのだ、といっている。

私も長い間感じの世界で遊んでいたが、ある日ある物に出会って、突然「見えた!」と確信した。だが、私は黙っていた。喋るとその感動が忽ち消え失せるような気がしたからである。そのうち感じも見えることも忘れはてて、ただ好きなものだけを買うようになった。もしかすると、私は間違っているのかも知れない。間違っていても構わない、好きなものは好きなんだから誰にも文句はいわせない、と信ずるようになった。

こういうことは説明不可能なことで、もし説明したら私は盲目になってしまうだろう。

私は盲目になっても一向構わないが、教えた人には見えるようになってほしい。私にいえることは、黙って待つことだけで、真にそのものを愛していればそのくらいの我慢はできるだろう。

思わず筆があらぬかたへそれてしまったが、骨董からどれほど多くのことを私は学んだか。自分の生きかたから物の形、花の活けかたや料理の盛りかたの末に至るまで、もちろん新しい前衛芸術も自分なりに見えるようになった。今もいったように私は間違っているかも知れない。たとえ間違っていようとも、それが「自己発見」といえるのだから、私はその道を行くしかないし、まして他人に強《し》いることはできない。もう一つつけ加えておきたいのは、物が見えるというのは人が考えるほどたのしいことではない、なまじっか見えるために辛いこともある、ということだ。そういう辛い目もせずに、おそるおそる衛生無害なものを買っていても、いつまで経っても腕は上がらぬと覚悟した方がいいと思う。

骨董屋との付き合いはこれはまた別のことである。特に骨董の場合は、美を扱うという危険な橋を渡るのだから、骨董は商品であって商品ではない。末続氏がいわれるように、値段はあってもなきに等しい。ふつうの付き合い以上に個人的なものだから、お金がなくてもどうしてもほしいという人は、目の色だけ見てもわかるから、「出世払いでよござんす」という時もあれば、骨董屋は、好きでもないくせにえばっている奴には、高い値段で売りつけたりする。そういう奴にかぎって高く買ったと自慢するのが得意だから、まったく悪いことをしているわけではない。要するに骨董屋も、我々人間と少しの変わりもないのである。

日本の骨董屋は(全部とはいわないが)そんな風にいいかげんで、ファジーなところがあるので面白い。もしこの世から贋物がなくなったら、私たちは贋物によって眼を鍛えることもできず、骨董を買う面白さは半減するだろう。

明治時代に外国へ売られたものは——西洋人は蒐集品を所狭《ところせ》きまで並べてみせるのが好きだから、箱などは不要なものとして捨ててしまった。大名家に伝わった鎌倉時代の絵画や絵巻物などはどれほどみごとな箱に入っていたことか。外箱だけ見ても中身が想像がつくほど美しい箱に入っているものも、少なくない。それを思う度に私は胸が痛むのであるが、素材は桐をもって最上とし、外箱は杉、まれには三重の箱に入っている場合もある。それは火事で焼けないためにそうなっているのだが、それだけではなく、日々の空気の乾燥や湿気も箱によって微妙に調節されているのである。

最近、外国人もようやくそのことに気づいたらしく、ボストン美術館では、輸入した当時は箱を全部焼いてしまったと聞くが、最近は日本から職人を招いてあらたに作り直しているという。そういうことこそほんとうの国際的理解とか交流とかいえるのではなかろうか。

書きたいことは山ほどあるが、この度は末続堯氏の記事に答えることと、私がどのようにして骨董から学んだか、また、日本の骨董屋の歴史と伝統についてもいささか述べたつもりである。私の知っていることはわずかだが、その範囲においては、外国にまだ寄与することはたくさんある。

断っておくが、私は日本人のものの見方だけが正しいといっているのではない。外国人にはとてもわからないと諦めているわけでもない。ただ長い歴史に培われた日本の伝統を知らしめて、お互いに歩みより、豊かな生活をたのしむことがこれからの使命であると思っている。

（『太陽』一九九六年二月号）

解説「なんでもないもの」

青柳　恵介

日本の古美術を愛好する或るフランス人が、「数寄者」という言葉はフランス語では何と言いますかと、やはり古美術が好きでフランス語にも堪能な、私の先輩に質問したことがあった。彼は「アマトゥール」と答えた。横にいた私は、虚を突かれたような思いがした。英語だと「アマチュア」だ。「数寄者」と「素人」とはどのように結びつくのだろうか。あとになってフランス語の「アマトゥール」には「熱愛者」という意味があることを知り、半ば納得したものの、熱愛することと素人との間にどういう関係があるか考えるとなかなか奥が深そうで、さらにそこに「数寄者」という概念を絡めると今でも頭が混乱してくるのである。たぶんその先輩は、「アマトゥール」の語誌に関しての蘊蓄《うんちく》があったに違いなかった。私はそれを知らない。

しかし、たとえば白洲正子という人を「アマトゥール」と呼んでみると、何か見えて来るものがある。白洲さんは、能を極めたなどというと嫌な顔をする。極めるなどという大仰な物言いが嫌いなのである。小さいころから随分と謡や仕舞の稽古を積み、何度も能も舞い、名人の舞台も沢山観た。能に関する本、世阿弥に関する本も多く書いている。しかし、それは専門の研究者の著作ではないし、舞台に立っていたときもプロの能楽師に伍していこうなどとは思っていなかったはずである。「好きなだけよ」と言う白洲さんの声が聞こえて来るようだ。

そのような姿勢は古美術を見、古美術について文章を書く際にも一貫している。どんなに沢山の信楽《しがらき》の壺を見ても、どんなに沢山の十一面観音を拝んでも、そして専門家の本をどんなに沢山読んでも、自分の「素人性」を忘れることがない。アマチュアの精神を持して、何かを熱愛することにかけていた。「目利き」なぞに囚われることなく、見られるだけ見てみよう、行けるところまで行ってみようと生きること、これは案外困難なことなのではないだろうか。「数寄者」という言葉は、今では多少気取った響きを放つ言葉になってしまったが、本来は「好き」を唯一の武器にして、行けるところまで行ってみようと熾烈《しれつ》に生きた人間を呼んだ言葉である。今の語感からすれば、数寄者などという言葉よりも、白洲正子はまさに「アマトゥール」と呼ぶにふさわしい人であったと思う。

アマトゥールは、しばしば言葉を拒絶するだろう。言葉を失う経験をこそ求めるからである。説明を軽蔑する傾向もある。白洲正子は「なんでもないもの」が好きであった。

「なんでもないもの」とは言葉では説明できないものという意味を含んでいるに違いない。本書の「暮しの中の美」の冒頭で紹介されている秦秀雄の『名品訪問』で、白洲さんは「どういう傾向のものが欲しいの？」という問いに対して「有名なものでいえば、長次郎の無一物《むいちもつ》っていうようなもの。何でもなくて、そして何もかもあるもの。平凡なものがいいね」と答えている。長次郎の銘「無一物」という赤楽茶碗は、言わば茶碗を持つ両掌の形をしている。中国や朝鮮の茶碗を見尽くした利休が、日本のあるべき茶碗を創るに際して、最後にたどりついた形だ。それを、作為をもって作為を消すことのできる達人、長次郎との共同で作り上げた傑作だ。それは実に「何でもない」形、「平凡な」茶碗である。しかし、それは茫洋《ぼうよう》として大きく、茶碗の見込みは広い。茶碗は「無一物」という銘をつけられた。何もないが、これ一つあれば「何もかもある」、そういう茶碗だと白洲さんは言うのである。この「平凡」をアマトゥールは求めるのである。

長次郎の「無一物」は有名だが、有名でないものの中にもそういう「なんでもないもの」は、探せばきっとある。余りにあたりまえなので、つい人が見過ごしてしまうようなもの、しかし、長年身辺において付きあっているうちに、自分だけにその真価が伝わってくるようなものを探すことが白洲正子の骨董であった。失敗を恐れたら、目の前進はない。白洲さんの文章の中で「発見」という言葉がどれだけの価値を持った言葉であったか、本書の読者はすぐに気がつかれるだろう。白洲さんの骨董は「発見」を求める経験であった。「発見」の裏側には失敗が並んでいる。今までにないものを見つけるのが骨董の発見ではない。無価値だと思われているものの中に価値を発見することが骨董の発見である。当然、その価値は一時の幻想であるかもしれない。一日の幻想、一月の幻想、一年の幻想、一生の幻想だってあり得る。それが幻想か実体をもった価値か、それを判断するのは多くの場合、他者である。

白洲さんの骨董を書いた文章には、登場人物が必須である。骨董屋さんも含めた骨董友達だ。みなアマトゥールであるから、一風変わった人が多い。骨董屋さんもアマトゥールの範疇《はんちゅう》に入れると、矛盾するようだが、白洲さんが仲良く付き合った骨董屋さんは、単なる商売人ではなく、みな初々しい熱愛者であった。仲よくしたり、衝突したりして付き合う友達だ。白洲さんは骨董友達にも恵まれていた。友達は批評家でもある。自分の発見が幻想か、実体のある価値か、友達によって知ることができる。自分だけにその真価が伝わってくるようなものと、先に述べたが、真の友達ならその真価は彼にも、別の彼にも不思議なことに伝わるのである。骨董友達は発見の共有者でもある。

骨董にかかわるエッセイは白洲正子の著作の中でさほど多くない。能に関する著作、歴史紀行文、人物論、古典文学に関する著作等に比してはるかに少ない。それは、骨董はあくまで見るもの、使うものであり、語るものではないということに由来する。先に記したように、アマトゥールは言葉を拒絶するということが最大の理由であろうが、また一方で次のように考えることも可能だろうと思う。

白洲さんはお能だって骨董だし、歴史だって骨董、文学だって骨董、人間だって骨董だ、といういかにも白洲さんらしいアナロジーでよく人を煙にまいた。一見難解なアナロジーであるけれど、白洲さんの言いたいことは、すなわち観念的に理屈を捏《こ》ねるのをよして、直に見ろ、姿や形を摑《つか》め、ずかりと近づき手に取って鑑賞しろ、そして時間をかけてじっくり付き合えということなのだと思う。その姿勢を「私は骨董でわかったのだ」というようなことも述懐していた。だから、白洲正子の文章に直接骨董にかかわるものは少ないけれど、骨董の経験はさまざまな分野のエッセイの中に生きているし、骨董によって拒絶された言葉が一度地中にもぐり、あらたな生の形をとって芽生えるということもあったのではないか。

本書の中でもっとも長いエッセイ「信楽・伊賀のやきもの」が右に述べた具体例として挙げられるだろう。やきものの故郷を訪れる旅行記であるが、白洲さんは信楽、伊賀の窯場にとどまっていない。近江や伊賀の山中に分け入り、崇福寺跡出土のガラスの地鎮器や信楽の壺が溶け込むような風景を描き、聖武天皇の恭仁京《くにきよう》趾を訪れ、紫香楽宮《しがらきのみや》趾に向かうのである。聖武天皇のいわゆる「彷徨《ほうこう》五年」、平城京をあとにして恭仁や難波《なにわ》や伊勢への流浪も、あるいは石塔寺の三重塔も同じ地平の中で白洲さんの筆は綴る。ものと風景と歴史の三者が混然となって、私達の旅情をかきたてる。このエッセイを発表した十年後の一九七四年に出版された『近江山河抄』で、この旅のことを思い出し、「ちょうど秋の暮のことで、山は紅葉に染まり、その間を陶土そのままの真っ白な道が、冴え冴えと通っていたのを思い出す。そして、いつしか信楽の焼きものと景色は重なり合い、その二つを切り放しては考えられなくなった。壺を眺めていると、山里の秋が目の前に浮んで来る、というより、私は既にその中に居る」というふうに書いている。ここに私は白洲正子の流儀をみる。

骨董を始めたのは戦後のこと（ちなみに終戦の一九四五年に白洲正子は三十五歳であるというが、八十八歳で亡くなるまで、骨董の中で暮らした。本書に収めた文章も長い時期にわたって書かれている。大体年代順に収めたので年齢を重ねた様子もうかがわれるが、同時に約半世紀を経ても変わらないという印象の方が強い。その変わらないものとは何かと言えば、また話題がもとに戻るが素人性ということになろう。小林秀雄に「だから素人はおそろしいよ」と言われたことを、むしろ自慢げに書いている、その素人性である。五十年も骨董の売り買いをやって、それでも自分は素人だという基点からものを見、ものを書く。

玄人には引退があるかもしれないが、素人には引退がない。

「長次郎の『無一物』は及びもつかないから、ささやかなそば猪口《ちょく》で我慢してるだけの話である。そば猪口の中にも二つとない名品はあるのであって、それを見分けるためには、たとえば紹鷗《じょうおう》が、農家で信楽の種壺を発見したのと同じ眼を必要とする。それに比べたら、志野や織部の美しさを理解することの方がどれ程やさしいかわからない」(「私の茶の湯観」)。

この「発見」には、既成の約束だとか、豊富な知識が邪魔をするものがある。熱愛だけを持った素人性こそ紹鷗と「同じ眼」を支える力だと白洲正子は言いたいのだと思う。最後に種明かしをしておくと、最初に紹介した「数寄者」を「アマトゥール」だと言った先輩とは、白洲さんの長男の白洲春正氏である。

本書は以下の各書籍から抜粋・構成したものです。
ワイアンドエフ（現・メディア総合研究所）刊『ほとけさま』『舞終えて』『ひたごころ』、世界文化社刊『風姿抄』『雨滴抄』『風花抄』『夢幻抄』『行雲抄』、新潮社刊『名人は危うきに遊ぶ』『夕顔』、求龍堂刊『白洲正子　私の骨董』
各作品は、新潮社刊『白洲正子全集』第一〜十四巻（二〇〇一〜二〇〇二）を底本としました。

編集付記

・表記については、底本とした『白洲正子全集』の新字・新かなづかいによった。
・作品の配列はおおむね発表年代順としたが、前後の関係から不同とした場合もある。
・各作品の末尾に作品の掲載初出を示した。不詳のものは「初出不詳」などとした。
・本書の作品名が原題と違う場合は、その原題を付記した。
・写真省略などにより底本の本文と相違が生じる場合は、括弧で注記した。
・本文中には、今日の人権擁護の見地に照らして、不当・不適切と思われる表現があるが、著者が故人であることと作品の時代背景を鑑み、原則的に底本のままとした。

なんでもないもの

白洲正子《しらすまさこ》エッセイ集《しゅう》〈骨董《こっとう》〉

白洲正子《しらすまさこ》　青柳恵介《あおやぎけいすけ》＝編

平成27年 4月25日　初版発行
令和7年 7月5日　8版発行

発行者●山下直久

発行●株式会社KADOKAWA
〒102-8177　東京都千代田区富士見2-13-3
電話　0570-002-301（ナビダイヤル）

角川文庫 19146

印刷所●株式会社KADOKAWA
製本所●株式会社KADOKAWA

表紙画●和田三造

●お問い合わせ
https://www.kadokawa.co.jp/（「お問い合わせ」へお進みください）
※内容によっては、お答えできない場合があります。
※サポートは日本国内のみとさせていただきます。
※Japanese text only

ISBN978-4-04-409483-6　C0195

◆◇◇

角川文庫発刊に際して

角川源義

第二次世界大戦の敗北は、軍事力の敗北であった以上に、私たちの若い文化力の敗退であった。私たちの文化が戦争に対して如何に無力であり、単なるあだ花に過ぎなかったかを、私たちは身を以て体験し痛感した。西洋近代文化の摂取にとって、明治以後八十年の歳月は決して短かすぎたとは言えない。にもかかわらず、近代文化の伝統を確立し、自由な批判と柔軟な良識に富む文化層として自らを形成することに私たちは失敗して来た。そしてこれは、各層への文化の普及滲透を任務とする出版人の責任でもあった。

一九四五年以来、私たちは再び振出しに戻り、第一歩から踏み出すことを余儀なくされた。これは大きな不幸ではあるが、反面、これまでの混沌・未熟・歪曲の中にあった我が国の文化に秩序と確たる基礎を齎らすためには絶好の機会でもある。角川書店は、このような祖国の文化的危機にあたり、微力をも顧みず再建の礎石たるべき抱負と決意とをもって出発したが、ここに創立以来の念願を果すべく角川文庫を発刊する。これまで刊行されたあらゆる全集叢書文庫類の長所と短所とを検討し、古今東西の不朽の典籍を、良心的編集のもとに、廉価に、そして書架にふさわしい美本として、多くのひとびとに提供しようとする。しかし私たちは徒らに百科全書的な知識のジレッタントを作ることを目的とせず、あくまで祖国の文化に秩序と再建への道を示し、この文庫を角川書店の栄ある事業として、今後永久に継続発展せしめ、学芸と教養との殿堂として大成せんことを期したい。多くの読書子の愛情ある忠言と支持とによって、この希望と抱負とを完遂せしめられんことを願う。

一九四九年五月三日